LES MENTEUSES

Tome 1 · Confidences

Les Menteuses

Tome 1
CONFIDENCES

SARA SHEPARD

Traduit de l'anglais (États-Unis)
par Isabelle Troin

Fleuve Noir

Titre original :
Pretty Little Liars

alloyentertainment

Photographie : Ali Smith
Conception poupée : Tina Amantula

ISBN : 978-2-265-08395-0

ℛEMERCIEMENTS

Je dois beaucoup à un groupe de gens formidables qui travaillent pour Alloy Entertainment. Je les connais depuis des années et sans eux, ce livre n'aurait jamais vu le jour. Josh Bank, parce qu'il est hilarant, charismatique et brillant... et parce qu'il m'a donné une chance il y a longtemps déjà, en dépit du fait que je m'étais grossièrement incrustée à la soirée de Noël de sa boîte. Ben Schrank, pour m'avoir encouragée à me lancer dans ce projet en premier lieu, et pour m'avoir dispensé de précieux conseils sur l'écriture. Évidemment, Les Morgenstein pour avoir cru en moi. Et ma fantastique éditrice, Sara Shandler, pour son amitié et l'aide dévouée qu'elle m'a apportée dans la mise en forme de ce roman.

Je suis reconnaissante à Elise Howard et Kristin Marang de chez HarperCollins pour leur soutien, leur compétence et leur enthousiasme. Un énorme merci à Jennifer Rudolph Walsh de chez William Morris pour toutes les choses magiques qu'elle a suscitées.

Merci également à Doug et Fran Wilkens pour un fabuleux été passé en Pennsylvanie. Toute ma gratitude à

Colleen McGarry qui m'a rappelé nos blagues du collège et du lycée, surtout celles concernant notre groupe fictif dont je ne mentionnerai pas le nom. Merci à mes parents pour m'avoir aidée sur les points les plus délicats de l'intrigue et encouragée à rester authentique, si étrange que cela puisse paraître. Et je ne sais pas ce que je ferais sans ma sœur, Ali, qui partage mon avis sur le fait que les Islandais sont des fillettes chevauchant des chevaux minuscules, et a accepté qu'un certain personnage de ce roman porte son nom.

Enfin, merci à mon mari, Joel, qui se montre si affectueux et patient, qui me fait rire, et qui a lu (de bon cœur!) chaque version de ce roman, me donnant d'excellents conseils – preuve que parfois, les garçons comprennent les problèmes des filles mieux que nous ne le pensons.

à JSW

Trois personnes peuvent garder un secret si deux d'entre elles sont mortes.

Benjamin Franklin

COMMENT TOUT A COMMENCÉ

Imaginez-vous trois ans plus tôt, l'été avant l'entrée en 4e. Vous êtes toute bronzée d'avoir lézardé près de votre piscine bordée de rochers, vous portez votre nouveau sweat Juicy Couture (vous vous souvenez de l'époque où c'était la mode ?) et vous pensez au type qui vous fait craquer, celui qui va dans cet autre bahut dont nous ne mentionnerons pas le nom et qui plie des jeans chez Abercrombie au centre commercial. Vous mangez vos Choco Pops comme vous les aimez – imbibés de lait écrémé – et vous voyez la photo de cette fille imprimée sur le côté de la brique de lait. DISPARUE. Elle est mignonne – sans doute plus que vous – et elle a les yeux qui pétillent. Vous pensez, *Mmmh, peut-être qu'elle aime les Choco Pops ramollos, elle aussi.* Et vous êtes sûre que le type de chez Abercrombie lui plairait. Vous vous demandez comment quelqu'un qui... vous ressemble autant a pu disparaître. Vous pensiez que seules les filles participant à des concours de beauté finissaient sur les briques de lait.

Vous vous trompiez.

Aria Montgomery enfouit sa figure dans la pelouse de sa meilleure amie Alison DiLaurentis.

— Délicieux, murmura-t-elle.

— Je rêve ou tu renifles l'herbe? lança Emily Fields, refermant la portière de la Volvo de sa mère de son long bras couvert de taches de rousseur.

— Ça sent bon, se défendit Aria. (Elle repoussa en arrière ses cheveux méchés de rose et inspira l'air tiède de ce début de soirée.) Ça sent l'été.

Emily agita la main pour dire au revoir à sa mère et remonta le jean bon marché qui tombait sur ses hanches maigrichonnes. Emily participait à des compétitions de natation depuis le Club des têtards, et même si elle avait une allure démente en maillot une pièce, elle ne portait jamais de fringues moulantes ou un tant soit peu mignonnes, contrairement aux autres filles de sa classe de 5ᵉ. C'était parce que ses parents insistaient sur le fait que la personnalité se construit de l'intérieur. (Même si Emily était à peu près certaine que devoir planquer son micro T-shirt LES IRLANDAISES SONT DE MEILLEURS COUPS au fond de son tiroir à sous-vêtements n'améliorait pas beaucoup sa personnalité.)

— Salut les filles!

Alison traversa le jardin situé devant la maison en pirouettant. Ses cheveux étaient relevés en une queue-de-cheval approximative, et elle portait encore la tenue de hockey sur gazon qu'elle avait mise pour assister à la fête de fin d'année organisée par son équipe cet après-midi-là. Alison était la seule fille de 5ᵉ à avoir été prise dans cette équipe, la prestigieuse *JV Team*. Ça lui donnait le privilège de rentrer chez elle avec les grandes de l'Externat de Rosewood, qui écoutaient Jay-Z à fond dans leur Cherokee et l'aspergeaient de parfum avant de la déposer pour ne pas que ses vêtements empestent la fumée de clope.

— Qu'est-ce que j'ai loupé? s'enquit Spencer Hastings en

se faufilant par une brèche dans la haie pour rejoindre les autres.

Spencer était la voisine d'Ali. Elle rejeta sa longue queue-de-cheval blond foncé derrière son épaule et but une gorgée de sa bouteille en plastique violet. N'ayant pas réussi à entrer dans la *JV Team* avec Ali à l'automne, elle devait se contenter de jouer dans l'équipe des 5es. Depuis un an, elle passait son temps à s'entraîner pour améliorer son jeu, et les filles savaient qu'elle faisait des dribbles dans son jardin juste avant leur arrivée. Spencer détestait que quelqu'un la surpasse en quoi que ce soit. Surtout Ali.

— Attendez-moi !

Se retournant, elles virent Hanna Marin descendre de la Mercedes de sa mère en se prenant les pieds dans son sac fourre-tout et en agitant ses bras grassouillets. Depuis le divorce de ses parents prononcé un an plus tôt, Hanna n'arrêtait pas de grossir et de se racheter des fringues une taille au-dessus. Ali leva les yeux au ciel. Mais les autres filles firent comme si elles n'avaient rien remarqué – après tout, c'était leur rôle en tant qu'amies.

Alison, Aria, Spencer, Emily et Hanna s'étaient rapprochées l'année précédente, quand leurs parents les avaient inscrites pour tenir le stand caritatif de leur bahut tous les samedis après-midi – exception faite de Spencer, qui s'était portée volontaire elle-même. Si Alison n'avait pas forcément entendu parler des quatre autres filles, elles en revanche ne connaissaient qu'Alison. Elle était parfaite : belle, intelligente, populaire. Tous les garçons voulaient sortir avec elle, et toutes les filles – y compris celles des classes supérieures – voulaient *être* elle.

La première fois qu'Ali avait ri à une des blagues d'Aria, posé une question sur la natation à Emily, dit à Hanna que son T-shirt était génial ou déclaré que l'écriture de Spencer était bien plus lisible que la sienne, elles avaient été... sidérées. Avant de rencontrer Ali, elles se sentaient comparables à des jeans de mère de famille, avec des pinces et une taille haute – moches et repérables de loin, mais pour les mauvaises raisons. Ali leur donnait l'impression de s'être transformées en pantalons Stella McCartney au tombé impeccable, si chers que personne ne pouvait se les offrir.

À présent, le dernier jour de leur année de 5ᵉ, elles n'étaient pas seulement les meilleures amies du monde – elles étaient aussi les filles les plus en vue de l'Externat de Rosewood. Beaucoup de choses s'étaient produites pour qu'elles bénéficient de ce statut. Chaque soirée pyjama, chaque sortie de classe avait été une aventure. Même les heures de permanence étaient mémorables quand elles les passaient ensemble. (Le jour où elles avaient lu, en utilisant la sono du bahut, un petit mot chaud bouillant écrit par le capitaine de l'équipe de foot à sa répétitrice de maths, était entré dans la légende de Rosewood.) Mais il y avait d'autres événements qu'elles souhaitaient toutes oublier – et un en particulier, qu'elles refusaient même d'évoquer. Ali disait souvent qu'elles étaient liées par leurs secrets. Si c'était le cas, elles resteraient amies pour la vie.

— Je suis tellement contente que cette journée soit enfin terminée, gémit Alison avant de repousser gentiment Spencer par la brèche de la haie. On va dans ta grange.

— Et moi, je suis tellement contente que la 5ᵉ soit enfin terminée! s'exclama Aria tandis qu'Emily, Anna et elle suivaient leurs amies vers la grange rénovée et transformée en maison d'invités où la sœur aînée de Spencer, Melissa, avait vécu pendant ses deux dernières années de lycée.

Par chance, Melissa venait juste de décrocher son diplôme de fin d'études secondaires et partait à Prague pour l'été – la grange leur appartenait donc pour la soirée.

Soudain, elles entendirent une voix aiguë les interpeller :

— Alison ! Hé, Alison ! Spencer !

Alison se retourna vers la rue.

— Pas moi, chuchota-t-elle.

— Pas moi, enchaînèrent très vite Spencer, Emily et Aria.

Hanna fronça les sourcils.

— Et merde !

C'était un jeu qu'Ali avait piqué à son frère Jason, qui était en terminale à l'Externat de Rosewood. Jason et ses amis y jouaient dans les soirées inter-bahuts quand ils mataient les filles des autres lycées. Être le dernier à dire « pas moi » signifiait que vous deviez vous coltiner la plus moche du lot pendant que vos potes se maquaient avec ses copines mignonnes, et donc, que vous étiez aussi repoussant qu'elle. Dans la version d'Ali, les filles disaient « pas moi » chaque fois que quelqu'un de mal sapé ou de pas assez cool s'approchait d'elles.

Cette fois, leurs « pas moi » étaient destinés à Mona Vanderwaal – une ringarde qui habitait plus bas dans la rue et passait son temps à essayer de copiner avec Alison et Spencer – et ses deux copines nazes, Chassey Bledsoe et Phi Templeton. Chassey avait piraté le système informatique du bahut avant d'expliquer au proviseur comment en améliorer la sécurité, et Phi Templeton ne se baladait jamais sans son yo-yo. Sans déconner ! Toutes trois regardaient les filles depuis la rue. Dans ce quartier résidentiel, il y avait peu de circulation. Mona était perchée sur sa trottinette Razor, Chassey sur un VTT noir, et Phi était à pied – son incontournable yo-yo à la main.

— Vous voulez venir regarder *Fear Factor* ? lança Mona.

— Je suis désolée, mais on est occupées, répondit Alison.

Chassey fronça les sourcils.

— Vous ne voulez pas voir quand ils bouffent les insectes ?

— Dégueu! murmura Spencer à Aria, qui se mit à faire semblant de manger des poux sur la tête d'Hanna, comme un singe.

— J'aimerais bien, mais on avait prévu cette soirée depuis un bail. Une autre fois, peut-être, lui lança Alison.

Mona baissa le regard.

— Ouais, je comprends.

— À plus.

Alison s'éloigna, levant les yeux au ciel, et les autres filles l'imitèrent.

Elles se dirigèrent vers le portail des Hastings. À leur gauche s'étendait le jardin des DiLaurentis, où les parents d'Alison faisaient construire un pavillon pouvant accueillir vingt personnes pour leurs somptueux pique-niques.

— Dieu merci, les ouvriers ne sont pas là, commenta Ali en jetant un coup d'œil au bulldozer jaune.

Emily se raidit.

— Ils t'ont encore fait des remarques?

— Du calme, Brutus, grimaça Ali.

Les autres gloussèrent. Elles avaient donné ce surnom à Emily parce que, celle-ci se comportait souvent comme le pit-bull d'Alison. Au début, Emily trouvait ça drôle, mais depuis quelque temps, ça n'avait plus l'air de l'amuser.

La grange se trouvait juste devant elles. Mignonne et douillette, elle avait une grande fenêtre qui donnait sur l'immense propriété des Hastings. À Rosewood – petite ville située à une trentaine de kilomètres de Philadelphie, en Pennsylvanie –, vous aviez plus de chances de résider, comme Spencer, dans une ferme de vingt-cinq pièces avec piscine et Jacuzzi que dans une maisonnette en préfabriqué identique à toutes les autres habitations du lotissement.

Rosewood sentait le lilas et l'herbe fraîchement coupée en été, la neige et le poêle à bois en hiver. On y trouvait d'immenses pins touffus, des hectares et des hectares de champs appartenant aux mêmes familles depuis des générations, les renards et les lapins les plus adorables du monde, mais aussi des centres commerciaux très chics, de somptueux manoirs datant de la période coloniale et une multitude de parcs où célébrer anniversaires, remises de diplômes – et autres fêtes sans motif. Ici, les garçons étaient bronzés, sportifs et éclatants de santé comme les mannequins des catalogues Abercrombie. Située sur la Main Line, la ligne de train qui avait jadis favorisé le développement de communautés prospères à l'ouest de Philadelphie, Rosewood abritait une multitude de vieilles familles nobles, d'héritages encore plus vieux et de scandales quasi antiques.

En atteignant la grange, les filles entendirent des gloussements à l'intérieur. Quelqu'un poussa un petit cri :

— Je t'ai dit d'arrêter !

— Oh, mon Dieu…, grommela Spencer. Qu'est-ce qu'elle fout encore là ?

En regardant par le trou de la serrure, elle vit Melissa, sa très convenable et très brillante sœur aînée, et son petit ami tout à fait charmant, Ian Thomas, batailler sur le canapé. Elle donna un coup de pied dans la porte, qui s'ouvrit à la volée. La grange sentait la mousse et le pop-corn légèrement brûlé. Melissa se retourna brusquement.

— Qu'est-ce que…? (Puis elle remarqua les amies de sa cadette et sourit.) Salut, les filles !

Aria, Emily, Alison et Hanna jetèrent un coup d'œil à Spencer. Celle-ci se plaignait constamment du comportement de sa sœur, une vraie garce et une langue de vipère, aussi étaient-elles toujours surprises que Melissa leur parle gentiment.

Ian se leva, s'étira et adressa un sourire en coin à Spencer.

— Salut.

— Salut, Ian, répondit Spencer d'une voix beaucoup plus guillerette. Je ne savais pas que tu étais là.

— Bien sûr que si, répliqua le jeune homme d'un ton charmeur. Tu nous espionnais.

Melissa rajusta son bandeau de soie noire sur ses longs cheveux blonds et fixa sévèrement sa cadette.

— Alors, qu'est-ce qui se passe? demanda-t-elle de façon presque accusatrice.

— Je ne... Je ne voulais pas vous déranger, bredouilla Spencer. Mais on était censées pouvoir profiter de la grange ce soir.

Ian lui donna un petit coup de poing sur le bras.

— Je te taquinais.

Spencer sentit le rouge lui monter aux joues. Ian avait des cheveux blonds en bataille, des yeux indolents couleur noisette et des tablettes de chocolat à faire saliver n'importe quelle fille.

— Wouah! s'extasia Alison un peu trop fort. (Toutes les têtes se tournèrent vers elle.) Melissa, Ian et toi, vous allez vraiment trop bien ensemble. Je ne te l'ai jamais dit, mais je l'ai toujours pensé. Pas toi, Spence?

Spencer cligna des yeux.

— Hum, murmura-t-elle.

Melissa fixa Ali une seconde, perplexe, puis reporta son attention sur Ian.

— Je peux te parler en privé?

Ian finit sa Corona sous le regard fasciné des cinq filles, qui ne buvaient jamais qu'en cachette – de l'alcool piqué dans le bar de leurs parents. Il reposa sa bouteille vide et leur sourit en suivant Melissa vers la porte.

— Adieu, mesdemoiselles.

Il leur fit un clin d'œil avant de refermer la porte derrière lui.

Alison fit mine de s'épousseter les mains.

— Encore un problème résolu par Ali D. Tu pourrais quand même me dire merci, Spence.

Spencer resta muette. Elle était trop occupée à regarder par la fenêtre de la grange. Des lucioles commençaient à piqueter le ciel pourpre.

Hanna se dirigea vers le saladier de pop-corn abandonné et en prit une grosse poignée.

— Ian est tellement sexy, décréta-t-elle. Encore plus que Sean.

Sean Ackard était l'un des garçons les plus mignons de leur classe, et l'objet récurrent des fantasmes d'Hanna.

— Vous savez ce que j'ai entendu? lança Ali en se laissant tomber sur le canapé. Que Sean adore les filles qui ont bon appétit.

Le visage d'Hanna s'éclaira.

— C'est vrai?

Alison ricana.

— Non.

Lentement, Hanna laissa retomber le pop-corn dans le saladier.

— Vous savez quoi, les filles? J'ai une idée pour nous occuper ce soir, lança Ali.

— J'espère qu'on ne va pas encore devoir se foutre à poil, gloussa Emily.

Elles l'avaient fait un mois plus tôt, par un froid de canard. Si Hanna avait refusé d'enlever son maillot de corps et sa culotte marquée du jour de la semaine, les autres avaient accepté de courir complètement nues à travers un champ de maïs voisin.

— Toi, tu as un peu trop aimé ça, murmura Ali. (Le sourire d'Emily s'évanouit.) Mais non, je pensais à autre chose – une petite surprise que je gardais en réserve pour le dernier jour de classe. J'ai appris à hypnotiser les gens.

— Hypnotiser? répéta Spencer.

— C'est la sœur de Matt qui m'a montré comment faire, expliqua Ali en examinant les photos de Melissa et de Ian sur le bord de la cheminée.

Matt, son petit ami de la semaine, avait les mêmes cheveux couleur de sable que Ian.

— Comment on fait? interrogea Hanna.

— Désolée, elle m'a fait jurer de garder le secret, répondit Ali en reportant son attention sur les autres. Vous voulez voir comment ça marche?

Les sourcils froncés, Aria s'assit sur un coussin de sol mauve.

— Je ne sais pas trop...

— Pourquoi?

Le regard d'Ali se posa sur une marionnette en forme de cochon qui dépassait du cabas en tricot violet de son amie. Aria se trimballait toujours avec des tas de trucs bizarres : des animaux en peluche, des pages déchirées dans de vieux romans, des cartes postales d'endroits où elle n'avait jamais mis les pieds...

— L'hypnose, ça ne te fait pas dire des trucs que tu n'as pas envie de dire? demanda Aria.

— Pourquoi, tu as des choses à cacher? répliqua Ali. (Elle tendit un doigt vers la marionnette.) Tu peux m'expliquer pourquoi tu te promènes encore avec ce foutu cochon?

Aria haussa les épaules et sortit la marionnette de son cabas.

— Pétunia? Mon père me l'a ramenée d'Allemagne, dit-elle en l'enfilant. Elle me donne des conseils sur ma vie amoureuse.

— Tu lui fourres ta main dans le cul! s'exclama Alison.

(Emily pouffa.) Et puis, pourquoi tu tiens autant à un machin que ton *père* t'a offert?

— Ce n'est pas drôle! aboya Aria en tournant brusquement la tête vers Emily.

Il y eut dix secondes de silence embarrassé, pendant lesquelles les filles se regardèrent sans la moindre expression. Ça arrivait souvent depuis quelque temps : l'une d'entre elles – généralement Ali – disait quelque chose, une autre se fâchait, et le reste du groupe n'osait intervenir.

Spencer fut la première à parler.

— L'hypnose. Je ne crois pas trop à ces trucs-là, avoua-t-elle.

— Tu n'y connais rien, répliqua vivement Alison. Allez, les filles. Je pourrais vous le faire à toutes en même temps.

Spencer tira sur la taille de sa jupe. Emily souffla entre ses dents. Aria et Hanna échangèrent un regard inquiet. Ali trouvait toujours des tas de machins déments à essayer – l'été précédent, elle leur avait fait fumer des graines de pissenlit pour voir si ça leur donnerait des hallucinations, et à l'automne dernier, elle les avait emmenées se baigner à la mare de Pecks, dans laquelle on avait repêché un cadavre par le passé.

Souvent, ses amies n'avaient pas envie de faire ce qu'Alison leur proposait. Même si toutes l'adoraient, elles ne pouvaient s'empêcher de la détester pour l'emprise qu'elle avait sur elles et pour la façon dont elle en abusait. Parfois, en sa présence, elles se sentaient déconnectées de la réalité. Elles avaient l'impression d'être des marionnettes dans les mains d'Ali. Et chacune d'entre elles souhaitait secrètement avoir la force de lui dire non – juste une fois.

— Alleeeeeez, insista Ali. Emily, tu as envie d'essayer, pas vrai?

— Euh… (La voix d'Emily tremblait.) En fait…

— Moi, je veux bien, coupa Hanna.

21

— Moi aussi, ajouta très vite Emily.

Spencer et Aria acquiescèrent à contrecœur. Satisfaite, Alison éteignit les lumières et alluma plusieurs bougies à la vanille qui se trouvaient sur la table basse. Puis elle se leva et se mit à fredonner.

— D'accord, les filles. Tout le monde se détend, chantonna-t-elle. (Ses amies se disposèrent en cercle sur la moquette.) Vous sentez les battements de votre cœur ralentir. Pensez à des choses apaisantes. Je vais compter de cent à zéro, et quand je vous toucherai, vous serez en mon pouvoir.

— Brrr, ça fout la trouille, dit Emily avec un petit rire mal assuré.

Alison commença.

— Cent... Quatre-vingt-dix-neuf... Quatre-vingt-dix-huit...

Vingt-deux...

Onze...

Cinq...

Quatre...

Trois...

Du pouce, Ali toucha le front d'Aria. Spencer décroisa les jambes. Le pied gauche d'Aria tressaillit.

— Deux...

Lentement, Ali toucha Hanna, puis Emily, et se dirigea vers Spencer.

— Un...

Avant qu'Ali puisse la toucher, Spencer ouvrit brusquement les yeux. Elle se leva d'un bond et se précipita vers la fenêtre.

— Qu'est-ce que tu fais? chuchota Ali, furieuse. Tu gâches tout!

— Il fait beaucoup trop sombre là-dedans.

Spencer saisit les rideaux et les ouvrit d'un grand geste.

— Non, protesta Ali en baissant le bras. Il faut être dans le noir. C'est comme ça que ça fonctionne.

— Ça m'étonnerait.

Le store était coincé, Spencer lutta pour le relever.

— Si, c'est comme ça, insista Ali.

Spencer posa les mains sur ses hanches.

— Je veux de la lumière. Et je ne suis peut-être pas la seule.

Alison jeta un coup d'œil aux autres. Elles avaient toujours les yeux clos.

— Ça ne peut pas toujours se passer comme tu l'as décidé, lança Spencer d'un air crâne.

Ali éclata d'un rire sévère.

— Referme ces rideaux!

Spencer leva les yeux au ciel.

— Va prendre un cachet!

— C'est toi qui me dis ça? ricana Ali.

Les deux filles se fixèrent un long moment. C'était une de ces disputes ridicules dont l'objet aurait pu être qui avait vu la première la nouvelle robe polo Lacoste chez Neiman Marcus, ou si les mèches miel de Machine faisaient trop pétasse. Mais il s'agissait de tout autre chose – quelque chose de beaucoup plus grave.

Finalement, Spencer pointa un doigt vers la porte.

— Casse-toi!

— D'accord.

Alison sortit.

— Bon débarras!

Mais quelques instants plus tard, Spencer suivit son amie. Rien ne bougeait dans l'air nocturne, aucune lumière n'était allumée dans la maison de ses parents. Et ce silence... même les criquets se taisaient. Spencer n'entendait que sa propre respiration.

— Attends! cria-t-elle en claquant la porte derrière elle. Ali!

Mais Alison avait disparu.

En entendant ce vacarme, Aria rouvrit les yeux.

— Ali? appela-t-elle. Les filles?

Pas de réponse.

Elle regarda autour d'elle. Hanna et Emily étaient assises immobiles sur la moquette, la porte était ouverte. Elle sortit sous le porche. Il n'y avait personne. Sur la pointe des pieds, elle s'approcha de la haie qui séparait la ferme de la propriété des DiLaurentis. La forêt s'étendait devant elle. Il n'y avait pas un bruit.

— Ali? chuchota-t-elle. Spencer?

À l'intérieur, Hanna et Emily se frottaient les yeux.

— Je viens de faire un rêve trop bizarre, déclara Emily. Enfin, je suppose que c'était un rêve. Ça s'est passé si vite! Alison tombait dans un puits superprofond, où il y avait des tas de plantes géantes.

— J'ai rêvé de la même chose! s'exclama Hanna.

— Sans rire? s'étonna Emily.

Hanna acquiesça.

— Enfin, plus ou moins. Il y avait aussi une plante géante. Et je crois avoir vu Alison. Il ne s'agissait peut-être que de son ombre, mais je suis sûre que c'était elle.

— Wouah…, souffla Emily.

Toutes deux se regardèrent, en écarquillant les yeux.

— Les filles?

Aria rentra. Elle semblait très pâle.

— Tu vas bien? s'inquiéta Emily.

— Où est Alison? (Aria plissa le front.) Et Spencer?

— Aucune idée, répondit Hanna.

À cet instant, Spencer fit irruption dans la grange. Les trois autres sursautèrent.

— Quoi ? demanda-t-elle.

— Où est Ali ? interrogea Hanna à voix basse.

— Je ne sais pas, chuchota Spencer. J'ai cru que... Je ne sais pas.

Les filles se turent. Elles n'entendaient que le bruit des branches contre la fenêtre – pareil à un crissement d'ongles sur une assiette.

— Je veux rentrer chez moi, dit Emily.

Le lendemain matin, elles n'avaient toujours aucune nouvelle d'Alison. Elles s'appelèrent pour en discuter – et exceptionnellement, se réunirent à quatre et non à cinq.

— Vous croyez qu'elle est en pétard contre nous ? demanda Hanna. Elle a eu l'air bizarre toute la soirée.

— Elle doit être chez Katy, suggéra Spencer.

Katy était l'une de ses camarades de l'équipe de hockey sur gazon.

— Ou peut-être chez Tiffany – la fille qu'elle a rencontrée en colo ? ajouta Aria.

— En tout cas, elle est sûrement en train de s'amuser, dit Emily à voix basse.

Chacune à leur tour, elles reçurent un coup de fil de Mme DiLaurentis leur demandant si elles savaient où se trouvait sa fille. Au début, elles couvrirent Alison. C'était une règle tacite entre elles : elles avaient couvert Emily lorsqu'elle était rentrée après son couvre-feu de vingt-trois heures, un week-end, tout comme Spencer quand elle avait emprunté le duffle-coat Ralph Lauren de Melissa sans sa permission et l'avait oublié dans le bus. Mais, après avoir menti à Mme DiLaurentis, toutes se trouvaient aux prises avec un mauvais pressentiment qui leur tordait l'estomac. Quelque chose clochait.

Mme DiLaurentis les rappela l'après-midi – complètement paniquée cette fois. Le soir même, les parents d'Alison avaient prévenu la police, et le lendemain matin, des véhicules de patrouille et des camionnettes de télévision étaient garées sur leur pelouse d'ordinaire immaculée. C'était une jouissance absolue pour n'importe quel journaliste du coin de couvrir la disparition d'une adolescente riche et jolie dans l'une des villes les plus bourgeoises et les plus tranquilles du pays.

Après avoir regardé le premier bulletin d'information qui relatait l'événement, Hanna appela Emily.

— Les flics sont venus t'interroger aujourd'hui?

— Oui.

— Moi aussi. Tu ne leur as pas parlé de... (Hanna marqua une pause.) De l'affaire Jenna, pas vrai?

— Non! hoqueta Emily. Pourquoi? Tu crois qu'ils savent quelque chose?

— Non. C'est impossible, chuchota Hanna après une seconde de réflexion. Nous sommes les seules à savoir. Nous quatre... et Alison.

La police questionna les quatre filles – et la quasi-totalité des habitants de Rosewood, depuis la prof de gym qu'Alison avait eue en CE1 jusqu'au type qui, une fois, lui avait vendu des Marlboro au tabac du coin. C'était l'été avant l'entrée en 4e, et les filles étaient censées flirter avec des garçons plus âgés dans des soirées piscine, manger des épis de maïs grillés dans leur jardin et passer la journée à faire du shopping au centre commercial King James. Au lieu de ça, elles pleuraient seules sur leur lit à baldaquin ou fixaient les photos accrochées aux murs de leur chambre. Spencer fit un grand ménage dans ses affaires; elle ne pouvait s'empêcher de repenser à la vraie raison de leur dispute et à toutes les choses qu'elle savait sur Ali et que les autres ignoraient. Hanna passait des heures allongée par terre, à vider des sachets de Cheetos qu'elle cachait ensuite sous son matelas. Emily était obsédée par la lettre qu'elle avait envoyée à Ali avant sa disparition. Son amie l'avait-elle reçue? Aria restait assise à son bureau avec Pétunia pour seule compagnie. Les coups de fil qu'elles échangeaient devinrent de moins en moins fréquents. Si toutes les quatre étaient hantées par les mêmes pensées, elles n'avaient plus rien à se dire.

La rentrée scolaire arriva. Une autre année s'écoula. Ali n'avait pas refait surface. La police continuait à la chercher, mais moins activement. Les médias se désintéressèrent de l'affaire lorsqu'un triple homicide fut commis dans le centre-ville de Philadelphie. Même les DiLaurentis finirent par déménager, deux ans et demi après la disparition de leur fille. Quant à Spencer, Aria, Emily et Hanna, quelque chose avait changé en elles. Désormais, lorsqu'elles passaient devant l'ancienne maison d'Alison, elles ne fondaient plus en larmes. Elles ressentaient une émotion bien différente du chagrin.

Du soulagement.

Bien sûr, Alison c'était Alison. La fille sur l'épaule de qui elles pouvaient pleurer, celle qu'elles mandataient pour appeler le garçon qui leur plaisait et savoir si c'était réciproque, celle qui tranchait toujours les questions importantes du style : ce jean leur faisait-il ou non un gros cul? Mais à côté de ça, elle leur faisait un peu peur. Elle en savait plus long sur elles que n'importe qui d'autre, y compris concernant des événements terribles qu'elles voulaient juste ensevelir – comme un cadavre. C'était affreux de penser qu'elle était peut-être morte, mais… dans ce cas, leurs secrets étaient bien gardés.

Et ils le furent. Du moins, pendant trois ans.

1

$\mathcal{U}$NE SALADE DE FRUITS POUR EMILY

— L'ancienne maison des DiLaurentis vient de trouver un acquéreur, annonça la mère d'Emily.

C'était un samedi après-midi. Assise à la table de la cuisine, ses lunettes à double foyer en équilibre sur son nez, Mme Fields faisait tranquillement ses comptes.

Emily sentit le Coca vanille qu'elle était en train de boire lui remonter par le nez.

— Je crois que les nouveaux propriétaires ont une fille de ton âge, ajouta sa mère. Je comptais leur déposer ce panier aujourd'hui. Tu veux peut-être y aller à ma place ?

Elle désigna la monstruosité enveloppée de cellophane posée sur le comptoir.

— Non, merci, grinça Emily.

Depuis qu'elle avait pris sa retraite d'institutrice l'année précédente, Mme Fields était devenue le comité d'accueil officieux de Rosewood à elle toute seule. Elle garnissait pour l'occasion des paniers en osier avec des millions de choses – des fruits séchés, ces ronds en caoutchouc qu'on met dans les conserves en bocaux pour les ouvrir plus facilement, des poulets en céramique (car elle était obsédée par les poulets), ou encore un guide des auberges de Rosewood. C'était une mère de famille banlieusarde typique, sans le monospace de rigueur. Car elle les trouvait trop ostentatoires et qu'ils consommaient énormément; aussi conduisait-elle une banale berline Volvo.

Elle se leva et passa ses doigts dans les cheveux de sa fille, que le chlore avait beaucoup endommagés.

— Ça te fait de la peine, c'est ça? demanda-t-elle avec compassion. Il vaut peut-être mieux que j'envoie Carolyn.

Emily jeta un coup d'œil à sa sœur aînée. Âgée d'un an de plus qu'elle, Carolyn était vautrée dans le fauteuil inclinable du salon, en train de regarder *Dr Phil* à la télé. Emily secoua la tête.

— Non, c'est bon. Je vais y aller.

Bien sûr, il lui arrivait de râler et de lever les yeux au ciel. Mais en vérité, elle finissait presque toujours par faire ce que sa mère lui demandait. Elle avait des A dans toutes les matières et quatre titres de championne de Pennsylvanie en nage papillon à son actif. Obéir au règlement était une seconde nature chez elle.

Et puis, au fond d'elle-même, Emily cherchait plus ou moins un prétexte pour retourner à l'ancienne maison d'Ali. Le reste de la ville commençait à se remettre de la disparition de la jeune fille, survenue trois ans, deux mois et douze jours plus tôt – mais pas elle. Aujourd'hui encore, elle ne pouvait feuilleter le livre de son année de 5e sans avoir envie de se rouler en boule. Parfois, les jours de pluie, elle relisait les petits mots d'Ali qu'elle gardait dans une boîte à chaussures sous son lit. Un pantalon en velours Citizen qu'Ali lui avait prêté dans le temps restait pendu dans son armoire, même s'il était désormais beaucoup trop petit pour elle. Elle avait passé les trois dernières années à espérer qu'elle trouverait une autre amie comme Ali, mais ce n'était pas près d'arriver. Malgré tous ses défauts, Ali était le genre de fille difficile à remplacer.

Emily se redressa et saisit les clés de la Volvo pendues au crochet près du téléphone.

— Je n'en ai pas pour longtemps, lança-t-elle en refermant la porte derrière elle.

La première chose qu'elle vit en se garant devant la vieille maison victorienne des DiLaurentis, en haut de la rue bordée d'arbres, ce fut une énorme pile de vieilleries sur le trottoir et une pancarte marquée : SERVEZ-VOUS. Plissant les yeux, elle reconnut certaines des affaires d'Ali, comme le fauteuil en velours blanc qui était dans sa chambre autrefois. Les DiLaurentis avaient déménagé neuf mois plus tôt. Apparemment, ils avaient laissé des choses derrière eux.

Emily se gara derrière un monstrueux camion de déménagement Bekins et sortit de la Volvo.

— Wouah…, souffla-t-elle en essayant d'empêcher sa lèvre inférieure de trembler.

Sous le fauteuil, il y avait plusieurs piles de livres crasseux. Elle se pencha pour regarder leur tranche. *La Charge victorieuse*. *Le Prince et le Pauvre*. Elle se souvenait les avoir lus en 5e, pour le cours d'anglais de M. Pierce, et d'avoir parlé en classe de symbolisme, de métaphores et de dénouement. Dessous, elle aperçut des vieux cahiers, et à côté, des cartons marqués VÊTEMENTS D'ALISON OU AFFAIRES DE CLASSE D'ALISON. Un ruban bleu et rouge dépassait de l'un d'eux. Elle tira dessus. C'était une médaille de natation qu'elle avait remportée en 6e et laissée chez Alison le jour où elles avaient inventé un jeu appelé Déesses olympiennes du Sexe.

— Tu la veux?

Emily se redressa en sursaut. Une fille grande et maigre, le teint café au lait avec une épaisse crinière brune bouclée, se tenait face à elle. Elle portait un débardeur jaune dont la bretelle avait glissé sur son épaule, révélant un soutien-gorge orange et vert. Emily n'en était pas sûre, mais il lui semblait avoir le même chez elle – un modèle de chez Victoria's Secret avec des oranges, des pêches et des citrons.

La médaille lui échappa des mains et tomba sur le trottoir dans un tintement métallique.

— Euh... non, bredouilla-t-elle en s'accroupissant pour la ramasser.

— Tu peux prendre ce que tu veux. Tu n'as pas vu la pancarte ?

— Non, non, c'est bon. Vraiment.

La fille lui tendit la main.

— Maya Saint-Germain. Je viens juste d'emménager ici.

— Je... (Les mots d'Emily restaient coincés dans sa gorge.) Emily Fields, parvint-elle enfin à articuler.

Elle prit la main de Maya et la serra. C'était étrange de serrer la main d'une fille – elle se sentait un peu gênée. Elle n'était même pas sûre que ça lui soit déjà arrivé. En fait, la tête lui tournait un peu. Peut-être n'avait-elle pas mangé assez de Cheerios aux noisettes et au miel pour le petit déjeuner.

Maya désigna les objets entassés sur le trottoir.

— Tous ces trucs étaient dans ma nouvelle chambre – tu le crois, toi ? J'ai dû les sortir moi-même. Ça craint !

— Oui, c'était les affaires d'Alison, chuchota Emily.

Maya se baissa pour inspecter certains des livres de poche. Machinalement, elle remonta la bretelle de son débardeur sur son épaule.

— C'est une de tes amies ?

Emily fronça les sourcils. *C'est?* Maya n'avait peut-être pas entendu parler de la disparition d'Ali.

— Hum, c'était, corrigea-t-elle. Il y a longtemps. On faisait partie de la même bande de filles, on habitait toutes dans le coin, expliqua-t-elle, omettant de mentionner l'enlèvement, le meurtre ou Dieu seul sait quoi d'autre. À l'époque, on était en 5e. Là, je rentre en 1re à l'Externat de Rosewood.

Les cours recommençaient en début de semaine suivante. Tout comme les entraînements de natation, ce qui signifiait trois heures de piscine quotidiennes. Emily ne voulait même pas y penser.

— Moi aussi, je vais aller à l'Externat de Rosewood! grimaça Maya.

Elle se laissa tomber sur le vieux fauteuil en velours d'Alison, dont les ressorts couinèrent.

— Dans l'avion qui nous a amenés ici, mes parents n'ont pas arrêté de répéter que j'avais beaucoup de chance d'avoir été acceptée dans ce bahut, et que ce serait superdifférent de mon lycée en Californie. Par exemple, je parie que vous n'avez pas de bouffe mexicaine à la cafète, non? Nous, on en avait – de la vraiment bonne. Il va falloir que je m'habitude à manger du Taco Bell. Leurs *gorditas* me donnent envie de vomir.

— Oh... (Emily sourit. Cette fille était décidément très bavarde.) Ouais, la bouffe de la cafète laisse pas mal à désirer.

Maya se releva d'un bond.

— Je sais qu'on vient juste de se rencontrer, mais ça t'embêterait de m'aider à monter ça dans ma chambre?

Elle désigna quelques cartons Crate & Barrel empilés près du camion de déménagement.

Emily écarquilla les yeux. Retourner dans l'ancienne

chambre d'Alison ? Mais elle ne pouvait décemment pas refuser, c'était trop impoli.

— Euh... non, pas de problème, bafouilla-t-elle.

L'entrée sentait encore le savon Dove et le pot-pourri – comme au temps des DiLaurentis. Emily s'arrêta sur le seuil et attendit les instructions de Maya, bien qu'elle ait pu retrouver la chambre d'Ali les yeux fermés. Il y avait des cartons partout, et deux lévriers racés aboyaient derrière un portillon dans la cuisine.

— Ignore-les, conseilla Maya en gravissant l'escalier qui conduisait au premier étage.

Arrivée au bout du couloir, elle poussa la porte d'un coup de hanche.

Wouah... ça n'a pas changé, songea Emily en entrant dans la chambre. En fait, si. Le lit deux places de Maya était dans un autre coin, un écran plat d'ordinateur trônait sur son bureau et le papier peint à fleurs disparaissait sous des posters – essentiellement des chanteurs : M.I.A., les Black Eyed Peas, Gwen Stefani en tenue de pom-pom girl. Mais quelque chose restait identique, comme si la présence d'Alison flottait encore dans la pièce. Saisie de vertige, Emily dut s'appuyer contre le mur pour ne pas tomber.

— Pose ça où tu peux, dit Maya.

Emily se ressaisit, posa son carton au pied du lit et regarda autour d'elle.

— J'aime bien tes posters. Moi aussi, je suis fan de Gwen.

— Mon petit ami est complètement obsédé par elle, révéla Maya. Il s'appelle Justin. Il est de San Francisco, comme moi.

— Oh. Moi aussi, j'ai un petit ami, dit Emily. Ben.

— Ah oui ? (Maya s'assit sur son lit.) Il est comment ?

Emily tenta de décrire Ben, avec qui elle sortait depuis quatre mois. Elle l'avait vu l'avant-veille – ils avaient regardé le DVD de *Doom* chez elle. Évidemment, Mme Fields était dans la pièce voisine et faisait irruption de temps en temps pour demander s'ils n'avaient besoin de rien. Emily et Ben faisaient tous deux partie de la même équipe de natation, et ils étaient amis depuis un bon moment. Leurs coéquipiers n'arrêtaient pas de les pousser à sortir ensemble – et c'est ce qu'ils avaient fini par faire.

— Il est cool, répondit-elle évasivement.

— Alors, pourquoi tu n'es plus copine avec la fille qui habitait ici ? interrogea Maya.

Emily repoussa ses cheveux blond-roux derrière ses oreilles. Wouah… Maya n'était vraiment pas au courant pour Alison. Emily craignait de se mettre à pleurer si elle parlait de son amie disparue. Et elle connaissait à peine Maya… Aussi se contenta-t-elle de hausser les épaules et de répondre :

— Je me suis éloignée de toutes les filles que je fréquentais à l'époque. On a pas mal évolué depuis, je suppose.

C'était l'euphémisme du siècle. Spencer était devenue une version améliorée de son vieux moi déjà parfait, la famille d'Aria était brusquement partie s'installer en Islande l'automne suivant la disparition d'Ali, et la boulotte mais adorable Hanna était devenue aussi mince qu'insupportable – une vraie pétasse. Elle et sa nouvelle meilleure amie, Mona Vanderwaal, s'étaient complètement métamorphosées l'été avant leur entrée en 3e. Mme Fields avait récemment croisé Hanna au Wawa, la supérette du coin, et dit à Emily qu'elle avait l'air « encore plus dévergondée que la fille Hilton ».

— Je sais ce que c'est de s'éloigner des gens, acquiesça Maya en s'élançant sur son lit. Mon petit ami, par exemple. Il a la trouille que je le largue maintenant qu'on va vivre chacun à un bout du pays. Un vrai bébé.

— Mon petit ami et moi, on est tous les deux dans la même équipe de natation, alors on se voit tout le temps, confia Emily en cherchant elle aussi un endroit où s'asseoir.

Et tout le temps, ça fait peut-être un peu trop, poursuivit-elle en son for intérieur.

— Tu pratiques la natation? demanda Maya. (Elle la détailla de la tête aux pieds, ce qui mit Emily légèrement mal à l'aise.) Je parie que tu es superdouée. Tu as les épaules pour ça.

— Oh, je ne sais pas trop.

Rougissant, Emily s'appuya contre le bord du bureau en bois blanc.

— Mais si! (Maya lui adressa un large sourire.) En tant que sportive, je parie que tu vas me faire la morale si je fume de l'herbe devant toi.

— Quand, maintenant? (Emily écarquilla les yeux.) Et tes parents?

— Ils sont à l'épicerie. Et mon frère... Il doit être quelque part dans le coin, mais il s'en fout.

Maya glissa la main sous son matelas et en sortit une petite boîte d'Altoids en fer-blanc. Elle souleva la fenêtre à guillotine, qui était à côté de son lit, sortit un joint et l'alluma. La fumée s'échappa dehors et alla former un nuage autour d'un gros chêne.

Maya se tourna vers Emily.

— Tu veux une taffe?

Emily n'avait jamais fumé d'herbe de sa vie – il lui semblait toujours que ses parents l'apprendraient, qu'ils devineraient en sentant ses cheveux, en la forçant à faire pipi dans un bocal ou quelque chose du genre. Mais lorsque Maya écarta le joint de ses lèvres couvertes de gloss cerise, elle trouva ça tellement sexy qu'elle voulut essayer.

— D'accord.

Elle se rapprocha de Maya et prit le joint. Leurs doigts

se frôlèrent, leurs regards se croisèrent. Les yeux de Maya étaient d'un vert qui tirait légèrement sur le jaune, comme ceux des chats. La main d'Emily se mit à trembler. Malgré sa nervosité, elle porta le joint à ses lèvres et aspira une minuscule bouffée, comme si elle buvait du Coca vanille à la paille.

Mais l'herbe n'avait pas franchement le goût du Coca vanille. Emily eut l'impression d'avoir inhalé tout un pot d'épices pourries. Elle fut saisie d'une quinte de toux.

— Wouah…, dit Maya en reprenant le joint. C'est la première fois?

Faute de pouvoir respirer, Emily se contenta de hocher la tête en essayant de reprendre son souffle. Elle toussa encore un peu, tenta d'inspirer. Enfin, elle sentit de l'air non vicié envahir ses poumons. Son regard se posa sur l'intérieur du bras de Maya. Une longue cicatrice blanche courait en travers de son poignet. Sur sa peau sombre, elle ressemblait à un serpent albinos. *Mon Dieu!* songea Emily. *Je dois déjà être stone.*

Soudain, un bruit métallique assez fort retentit. Emily sursauta. Le bruit se répéta.

— Qu'est-ce que c'est? demanda-t-elle d'une voix encore sifflante.

Maya tira une taffe sur son joint et secoua la tête.

— Les ouvriers. On est là depuis une journée et mes parents ont déjà commencé les rénovations. (Elle grimaça.) Tu avais l'air complètement paniquée, comme si tu croyais que les flics allaient débarquer. Tu t'es déjà fait coffrer?

— Moi? Non!

Emily éclata de rire. C'était une idée tellement ridicule!

Maya sourit et recracha la fumée.

— Il faut que j'y aille, dit Emily.

— Déjà? protesta Maya, déçue.

Emily se leva.

— J'ai dit à ma mère que je ne resterais qu'une minute. Mais je te verrai au bahut mardi.

— Génial! s'enthousiasma Maya. Tu pourras peut-être me faire une visite guidée?

Emily lui sourit.

— Pas de problème.

Ravie, Maya agita trois doigts pour lui dire au revoir.

— Tu sauras retrouver la sortie?

— Je crois que oui.

Emily balaya de nouveau la pièce du regard, puis sortit de la chambre d'Ali – non, de Maya – et redescendit l'escalier qu'elle connaissait si bien.

Ce ne fut qu'après avoir retrouvé l'air pur, dépassé les vieilles affaires d'Alison et regagné la Volvo de sa mère qu'elle aperçut le panier de bienvenue sur le siège passager. *Tant pis*, décida-t-elle en le déposant sur le trottoir entre le vieux fauteuil d'Alison et ses cartons de livres. *De toute façon, Maya n'a pas besoin d'un guide des auberges de Rosewood, elle habite déjà ici.*

Et Emily s'en réjouit soudain.

2

LES ISLANDAISES (ET LES FINLANDAISES) SONT DES FILLES FACILES

— Oh, mon Dieu, des arbres ! Je suis trop content de revoir des arbres avec un tronc, des feuilles et tout ça ! s'exclama Michelangelo Montgomery en passant sa tête dehors par la vitre du 4×4 familial, comme un labrador.

Aria, ses parents, Ella et Byron – ils insistaient pour que leurs enfants les appellent par leur prénom –, et son frère de quinze ans, Mike, revenaient de l'aéroport international de Philadelphie. Un peu plus tôt, ils étaient encore dans un avion en provenance de Reykjavik. Le père d'Aria était professeur d'histoire de l'art. Il avait passé les trois dernières années avec sa famille en Islande, où il participait à des recherches pour un documentaire consacré à l'art scandinave. Maintenant qu'ils étaient de retour, Mike s'extasiait sur chaque détail du paysage pennsylvanien, c'est-à-dire sur n'importe quoi : l'auberge en pierre du XVIIIe siècle qui vendait des vases en céramique, les vaches noires qui regardaient passer la voiture derrière une barrière en bois, le centre commercial aux allures de village de la Nouvelle-Angleterre construit en leur absence... Et même la boutique Dunkin Donuts qui devait bien exister depuis vingt-cinq ans.

— J'ai trop hâte de me faire un Coolata! lança-t-il.

Aria grogna. Mike s'était beaucoup ennuyé en Islande – il disait que tous les garçons islandais de son âge étaient des « pédales qui montaient des chevaux minuscules » –, mais sa sœur aînée s'y était épanouie. À l'époque de leur départ, elle ressentait justement le besoin de tout recommencer à zéro ; aussi fut-elle ravie d'apprendre que leur famille déménageait. C'était l'automne qui suivait la disparition d'Alison, et le reste de la bande s'était peu à peu disséminée. Aria s'était retrouvée seule, sans véritables amies – juste un bahut plein de gens qu'elle connaissait depuis toujours.

Avant de partir en Europe, elle avait parfois surpris des garçons qui la mataient de loin, intrigués, puis qui détournaient très vite les yeux, lorsqu'ils se sentaient repérés. Avec sa silhouette élancée de danseuse, ses cheveux noirs très raides et ses lèvres pulpeuses, Aria savait qu'elle était jolie. On le lui disait souvent – mais alors, pourquoi personne ne lui avait proposé de l'accompagner au bal de printemps l'année de sa 5e ? L'une des dernières fois où elle avait vu Spencer, cette dernière lui avait dit que les garçons la dragueraient beaucoup plus si elle faisait davantage d'efforts pour s'intégrer.

Mais Aria ignorait comment faire. Ses parents lui avaient dit et répété sur tous les tons qu'elle était un individu, pas un mouton, et qu'elle ne devait pas imiter les autres, mais juste être elle-même. Le problème, c'est qu'Aria ne savait pas vraiment qui elle était. Depuis l'âge de onze ans, elle était passée par une période punk, une période artiste, une période films documentaires et même, au moment de son entrée en 4ᵉ, une période fille idéale où elle montait à cheval, portait des polos et se baladait partout avec une sacoche Coach – bref, tout ce que les garçons de l'Externat de Rosewood adoraient, et tout ce qu'elle n'était pas dans le fond. Dieu merci, les Montgomery étaient partis en Islande deux semaines après. Et une fois là-bas, tout avait changé.

Byron avait reçu cette offre de travail au moment de la rentrée des classes, et l'avait aussitôt acceptée. Aria supposait que ce départ anticipé était lié au secret de son père – un secret qu'elle était la seule à connaître, à l'exception d'Alison DiLaurentis. À la minute où l'avion d'Icelandair avait décollé, elle s'était jurée de ne plus y penser. Et après avoir vécu à Reykjavik pendant quelques mois, Rosewood n'était plus qu'un lointain souvenir. Ses parents avaient eu l'air de retomber amoureux, sa limace de frère avait appris l'islandais et le français, et Aria était tombée amoureuse... à plusieurs reprises, même.

Alors, que lui importait si les garçons de Rosewood ne la comprenaient pas ? Les garçons islandais – bien plus cultivés et fascinants – la comprenaient, eux. Les Montgomery s'étaient à peine installés dans leur nouvelle ville qu'Aria avait rencontré Halljorn, un DJ de dix-sept ans qui avait trois poneys et le visage le plus gracieux qu'elle ait jamais vu. Il avait proposé de l'emmener voir les geysers, et quand l'un d'eux avait gargouillé avant de lâcher un énorme jet de vapeur, il l'avait embrassée. Après Halljorn, il y avait eu Lars, qui aimait jouer avec sa vieille marionnette Pétunia et l'emmenait aux meilleures soirées dansantes dans le quartier du port. En Islande, elle s'était sentie mignonne et sexy. Oui, sa période islandaise avait été la meilleure jusqu'à ce jour. Elle avait trouvé son style vestimentaire (bobo-chic avec beaucoup de superpositions, des bottes lacées et un jean APC acheté lors d'un voyage à Paris), lu les philosophes français et pris l'Eurail uniquement avec une vieille carte et des sous-vêtements de rechange.

À présent, les rues qui défilaient derrière la vitre de la voiture lui rappelaient un passé qu'elle voulait oublier. Ici, Ferra's Cheesesteaks, où elle glandait avec ses amies lorsqu'elle était à l'école primaire. Là, le country club avec son portail en pierre – les Montgomery n'en étaient pas membres, mais Aria y était allée une fois avec Spencer et, se sentant d'humeur audacieuse ce jour-là, avait été voir le très craquant Noel Kahn pour lui demander s'il voulait partager une glace avec elle. Bien entendu, il l'avait froidement rembarrée.

Et là, la rue bordée d'arbres où vivait autrefois Alison DiLaurentis. Comme la voiture des Montgomery s'arrêtait au carrefour, Aria se tordit le cou pour la voir – la deuxième maison à partir du coin. Il y avait un tas de vieilleries sur le trottoir, mais sinon tout semblait calme. Aria ne put soutenir ce spectacle très longtemps avant de se couvrir les yeux. En Islande, plusieurs jours pouvaient s'écouler sans qu'elle ne pense à Ali, à leurs secrets et à ce qui s'était passé. Elle n'était revenue à Rosewood que depuis dix minutes, et déjà, elle croyait entendre la voix d'Ali partout, voir son reflet dans chaque baie vitrée. Elle s'affaissa dans son siège en s'efforçant de retenir ses larmes.

Byron se gara quelques rues plus loin, devant leur ancienne maison, une espèce de boîte brune postmoderne qui ne possédait qu'une seule fenêtre au milieu de la façade – et qui paraissait encore plus hideuse après avoir vécu dans une jolie villa bleu pâle située au bord de l'eau à Reykjavik. Aria suivit ses parents à l'intérieur. Chacun partit dans une pièce différente. Elle entendit Mike répondre à son portable et agita les mains dans la poussière scintillante qui flottait devant elle.

— Maman! (Mike fit irruption par la porte de devant.) Je viens juste de parler à Chad, et il dit que les premiers essais pour l'équipe de lacrosse ont lieu aujourd'hui.

Ella sortit de la salle à manger.

— Quoi, maintenant?

— Oui. Je file!

Mike monta quatre à quatre les marches de l'escalier en fer forgé qui conduisait à son ancienne chambre.

— Aria, ma chérie? (La jeune fille se retourna vers sa mère.) Tu peux le conduire à l'entraînement?

Elle partit d'un petit rire.

— Euh... maman? Je n'ai pas mon permis.

— Et alors? Tu conduisais tout le temps à Reykjavik. Le terrain de lacrosse n'est qu'à trois kilomètres d'ici. Dans le pire des cas, tu renverseras une vache. Contente-toi de l'attendre jusqu'à ce qu'il ait fini.

Aria hésita. Sa mère avait déjà l'air harassé. Elle entendit son père ouvrir et refermer les placards de la cuisine en bougonnant. Ses parents continueraient-ils à s'aimer ici comme en Islande? Ou les choses redeviendraient-elles comme avant?

— D'accord, marmonna-t-elle.

Elle déposa ses sacs, prit les clés et alla s'installer au volant du 4×4.

Son frère la rejoignit. Il était déjà en tenue. *Incroyable*, songea Aria. Donnant un petit coup de poing sur sa crosse, il lui adressa un sourire entendu – et carrément diabolique.

— Contente d'être de retour?

Pour toute réponse, Aria poussa un gros soupir.

Pendant tout le trajet, Mike garda les mains pressées sur la vitre et hurla : « Regarde, la maison de Caleb! Ils ont viré la rampe de skate! » ou : « La bouse de vache pue toujours autant! » Aria s'était à peine arrêtée près du vaste terrain à la pelouse impeccablement entretenue que Mike ouvrit la portière et bondit hors de la voiture.

Se laissant glisser dans son siège, la jeune fille regarda à travers le toit ouvrant et murmura :

— Je suis *ravie*.

Une montgolfière flottait dans le ciel. À l'époque, Aria adorait ça. Ce jour-là, elle ferma un œil et fit semblant de l'écraser entre le pouce et l'index.

Un groupe de garçons en T-shirt Nike blanc, short baggy et casquette de base-ball blanche à l'envers dépassèrent le 4×4 et se dirigèrent vers le terrain de lacrosse en traînant les pieds. *C'est bien ce que je disais : ici, ils se ressemblent tous,* se désespéra Aria. Elle cligna des yeux. L'un d'eux portait le même T-shirt de l'Université de Pennsylvanie que Noel Kahn, le garçon pour qui elle craquait lors de son entrée en 4e. Elle scruta ses cheveux noirs ondulés. *Une petite minute. Ce n'est quand même pas...* Si, c'était lui. Elle n'arrivait pas à croire qu'il portait toujours le même T-shirt qu'à treize ans. Peut-être était-il superstitieux. Allez savoir ce qui se passe dans le crâne d'un sportif sans cervelle...

Noel lui jeta un regard intrigué, puis s'approcha de la voiture et toqua à la fenêtre. Elle baissa la vitre.

— Tu es la fille qui était partie au pôle Nord, pas vrai? L'ancienne copine d'Ali D.? lui demanda-t-il.

L'estomac d'Aria se noua.

— Euh...

— Non, mon pote. (James Freed, deuxième sur la liste des garçons les plus canons de Rosewood, apparut derrière Noel.) Elle n'est pas allée au pôle Nord mais en Finlande. Tu sais, le pays d'où vient le mannequin Svetlana. Celle qui ressemble à Hanna.

Aria se gratta la tête. Hanna? Il ne parlait quand même pas d'Hanna *Marin*?

43

Un coup de sifflet retentit, et Noel passa une main par la vitre ouverte pour toucher le bras d'Aria.

— Tu restes regarder l'entraînement, pas vrai, la Finlandaise?

— Euh... *Ja*, répondit Aria.

— C'est quoi ça? Une invitation sexuelle en finnois? grimaça James.

Aria leva les yeux au ciel. « *Ja* » signifiait « oui » en finnois, mais évidemment, ces types ne pouvaient pas le savoir.

— Amusez-vous bien, rétorqua-t-elle avec un sourire las.

Les deux jeunes gens se poussèrent du coude et s'éloignèrent en courant, agitant leurs crosses devant eux avant même d'atteindre le terrain. Aria les suivit des yeux. Quelle ironie... C'était la première fois qu'un garçon de Rosewood – et pas n'importe lequel : Noel Kahn en personne! – flirtait avec elle, et elle s'en fichait complètement.

Entre les arbres, elle distinguait tout juste la flèche de la chapelle de la fac de Hollis, la petite université spécialisée en arts où enseignait son père. Dans la rue principale du campus se trouvait un bar appelé Snookers. Aria se redressa et consulta sa montre. Deux heures et demie. Peut-être était-il ouvert? Elle avait le temps d'aller prendre une bière et de s'amuser un peu en attendant que son frère termine.

Et qui sait? songea-t-elle. *Avec un verre ou deux dans le nez, peut-être que même les garçons de Rosewood finissent par avoir l'air séduisants.*

Alors que les bars de Reykjavik sentaient la bière fraîchement brassée, le vieux bois et les cigarettes françaises, l'atmosphère du Snookers ressemblait davantage à un mélange de cadavres en décomposition, de sueur et de hot-dogs laissés trop longtemps au soleil. Et comme tous les autres endroits de Rosewood, il lui rappelait des souvenirs désagréables. Un vendredi soir, Alison DiLaurentis l'avait mise au défi d'entrer dans le bar et de commander un « Orgasme hurlant ». Aria avait fait la queue derrière un groupe d'étudiants, lorsque le videur avait refusé de la laisser entrer, elle s'était exclamée :

— Mais il me faut un Orgasme hurlant!

Puis, réalisant ce qu'elle venait de dire, elle avait rejoint ses amies en courant. Ali, Spencer, Emily et Hanna étaient accroupies derrière une voiture dans le parking. Elles riaient toutes si fort qu'elles en avaient le hoquet.

— Une Amstel, demanda Aria au barman après avoir franchi la porte vitrée – apparemment, le Snookers se passait des services d'un videur le samedi à deux heures et demie de l'après-midi.

Le barman lui lança un regard interrogateur, puis posa un demi devant elle avant de s'éloigner. Aria en but une grosse gorgée. La bière était tellement coupée à l'eau qu'elle n'avait plus aucun goût. Elle la recracha dans son verre.

— Ça va?

Aria pivota vers le type qui venait de l'interpeller. Assis trois tabourets plus loin, il avait des cheveux châtain-blond ébouriffés et des yeux bleu glacier comme ceux d'un husky. Un verre de whisky était posé devant lui.

Aria fronça les sourcils.

— Oui, j'avais oublié à quel point la bière était dégueu ici. Je viens de passer deux ans en Europe, elle est nettement meilleure là-bas.

— En Europe? (Le type sourit. Il était très mignon.) Où exactement?

Aria lui rendit son sourire.

— En Islande.

Les yeux du type s'éclairèrent.

45

— J'ai eu l'occasion de passer quelques nuits à Reykjavik en me rendant à Amsterdam. Il y avait une soirée démente sur le port.

Aria posa les mains autour de son verre.

— Oui, les meilleures soirées ont toujours lieu sur le port, répondit-elle, nostalgique.

— Tu as vu des aurores boréales pendant que tu étais là-bas ?

— Bien sûr. Et des soleils de minuit. L'été, on faisait des *raves* fabuleuses, avec des musiques extra ! (Elle baissa les yeux vers le verre du type.) Qu'est-ce que tu bois ?

— Du scotch, répondit-il en faisant signe au barman. Tu en veux un ?

Aria acquiesça. Le type vint se percher sur le tabouret à côté du sien. Il avait de belles mains, avec de longs doigts et des ongles un peu fendus au bout. Sur son blouson en velours était épinglé un badge sur lequel on pouvait lire : LES FEMMES INTELLIGENTES VOTENT !

— Qu'est-ce que tu faisais en Islande ? Tu es partie dans le cadre d'un échange universitaire ?

Aria secoua la tête. Le barman posa un whisky devant elle. Elle en prit une grosse gorgée. Sa trachée et sa poitrine s'embrasèrent.

— J'étais là-bas parce que... (Elle se ravisa.) Oui, c'était pour mes études.

Laissons-le croire ce qu'il veut.

Le type hocha la tête.

— Cool. Et avant, tu étais où ?

Aria haussa les épaules.

— Ici, à Rosewood... (Elle sourit et ajouta très vite :) Mais je me plaisais bien mieux là-bas.

— Je comprends, compatit le type. J'étais superdéprimé de rentrer aux États-Unis après mon séjour à Amsterdam.

— J'ai pleuré pendant tout le trajet en avion, avoua Aria.

Pour la première fois depuis son retour, elle se sentait de nouveau elle-même – Aria l'Islandaise. Non seulement elle parlait de l'Europe avec un type mignon et intéressant, mais en plus ce type était probablement la seule personne de toute la ville qui n'ait pas connu Aria lorsqu'elle vivait à Rosewood, Aria-la-copine-bizarre-de-la-fille-qui-avait-disparu.

— Tu vas à la fac ici? demanda-t-elle.

— Je viens juste d'obtenir mon diplôme. (Le type s'essuya la bouche avec une serviette en papier et alluma une Camel. Il lui en offrit une, mais Aria refusa.) Maintenant, je vais enseigner.

Aria but une autre gorgée de scotch et réalisa que son verre était déjà vide. Évidemment, elle avait descendu ça comme de la bière...

— Moi aussi, ça me plairait d'être prof quand j'aurai fini mes études. Ou alors, d'écrire des pièces de théâtre.

— Des pièces de théâtre? C'est quoi ton option majeure?

— Euh... anglais.

Le barman posa un autre scotch devant Aria.

— C'est justement la matière que j'enseigne!

Le type posa sa main sur le genou d'Aria. Surprise, celle-ci sursauta et faillit renverser son verre. Il retira sa main. Elle rougit.

— Désolé, dit-il d'un air légèrement penaud. Au fait, je m'appelle Ezra.

— Et moi, Aria.

Tout à coup, son nom lui paraissait hilarant. Elle gloussa et se sentit vaciller sur son tabouret.

— Oh là!

Ezra lui saisit le bras pour la retenir.

Trois scotchs plus tard, ils s'étaient rendu compte qu'ils

avaient rencontré le même vieux barman marin au bar Borg à Reykjavik, qu'ils adoraient se baigner dans les sources chaudes à l'eau bleu lagon riche en minéraux et que contrairement à la plupart des gens, l'odeur d'œuf pourri du soufre ne les dérangeait pas. Les yeux d'Ezra devenaient plus bleus de seconde en seconde. Aria voulait lui demander s'il avait une petite amie. Une douce chaleur l'envahissait, et elle aurait parié que ça n'était pas seulement dû au scotch.

— Il faut que j'aille aux toilettes, annonça-t-elle d'une voix pâteuse.

Ezra sourit.

— Tu veux que je t'accompagne?

Bon. Ça répondait à la question d'Aria concernant son actuel célibat.

— Hum. Pardon. (Il se frotta la nuque.) Je suis trop direct, peut-être? s'enquit-il en fixant Aria d'un air embarrassé.

Le cerveau de la jeune fille était en ébullition. Sortir avec des inconnus, ce n'était pas son truc. Du moins, pas en Amérique. Mais n'avait-elle pas décidé qu'elle voulait rester Aria l'Islandaise?

Elle se leva et prit la main d'Ezra. Ils se dirigèrent vers les toilettes des dames sans se quitter des yeux. Le sol était jonché de papier hygiénique, et ça puait encore plus que dans le reste du bar, mais Aria s'en fichait. Elle ne sentait que l'odeur d'Ezra – un mélange de scotch, de cannelle et de transpiration. Et aucun parfum au monde ne lui avait jamais paru plus délicieux, songea-t-elle tandis que le jeune homme la soulevait pour l'asseoir sur le bord du lavabo et qu'elle lui entourait la taille de ses jambes.

Comme ils disaient en Finlande: *Ja.*

3

$\mathcal{L}$A PREMIÈRE BRELOQUE D'HANNA

— Et apparemment, ils baisaient dans la chambre des parents de Bethany!

Hanna Marin fixa sa meilleure amie Mona Vanderwaal par-dessus la table. C'était deux jours avant la rentrée des classes. Assises à la terrasse du Rive Gauche, le café d'inspiration parisienne du centre commercial King James, les deux filles buvaient du vin rouge et comparaient *Vogue* à sa version pour adolescentes, *Teen Vogue*, en se racontant les derniers potins.

Hanna prit une gorgée et remarqua un quadragénaire qui les observait d'un air concupiscent. *Le Humbert Humbert moyen*, songea-t-elle. Mais elle se garda bien de le dire à voix haute, Mona n'aurait pas saisi la référence littéraire. Certes, Hanna était la fille la plus en vue de l'Externat de Rosewood, mais ça ne l'empêchait pas de jeter un coup d'œil aux livres recommandés par leur prof d'anglais, surtout l'été quand elle paressait au bord de sa piscine. Et puis, *Lolita* avait l'air délicieusement cochon.

49

Mona se retourna pour voir ce qu'Hanna regardait. Un sourire espiègle lui retroussa le coin des lèvres.

— On devrait lui en mettre plein la vue.

Hanna écarquilla les yeux.

— À trois ?

Mona acquiesça. À trois, les deux filles relevèrent lentement le bas de leur jupe qui ne cachait déjà pas grand-chose, et laissèrent apparaître leur culotte. Les yeux d'Humbert faillirent lui sortir de la tête. Il en renversa son verre de pinot noir sur la braguette de son pantalon en toile.

— Et merde ! s'exclama-t-il avant de filer aux toilettes.

— Joli, se félicita Mona.

Les deux filles jetèrent leur serviette en papier sur la salade à laquelle elles n'avaient pas touché et se levèrent pour partir.

Elles étaient devenues amies l'été avant l'entrée en 3e, après avoir toutes deux planter leur audition pour entrer dans l'équipe des pom-pom girls. Se jurant de réussir l'année suivante, elles avaient décidé de perdre des tonnes de kilos pour devenir comme ces filles légères et enjouées que les garçons lançaient en l'air. Mais une fois minces et sexy, elles avaient décidé que les pom-pom girls c'était ringard, et n'avaient jamais pris la peine de repasser une audition.

Depuis, elles partageaient tout – enfin, presque tout. Hanna n'avait jamais raconté à Mona comment elle s'y était prise pour maigrir aussi vite. C'était bien trop répugnant. Réussir à se priver de nourriture en ne comptant que sur une volonté de fer était admirable et même sexy, se goinfrer de cochonneries grasses et sucrées, puis aller vomir le tout aux toilettes n'avait en revanche rien de glamour. Mais comme Hanna avait perdu cette mauvaise habitude, ça n'avait pas vraiment d'importance.

— Ce type avait la gaule, chuchota Mona en récupérant les magazines étalés sur la table. À ton avis, qu'en penserait Sean ?

— Ça le ferait rire, répondit Hanna.

— Ça m'étonnerait.

— Disons que ça devrait le faire rire, dit Hanna en haussant les épaules.

— Euh... montrer sa culotte à des inconnus, ça ne fait pas vraiment bon ménage avec le vœu de chasteté ! s'esclaffa Mona.

Hanna baissa les yeux vers ses sandales à semelle compensée violettes Michael Kors. Le vœu de chasteté. Son petit ami, l'extraordinairement populaire et canon Sean Ackard – le garçon qui la faisait craquer depuis la 5e – se comportait de manière assez étrange ces derniers temps. Il avait toujours été du genre boy-scout, à faire du bénévolat dans une maison de retraite et à servir de la dinde aux SDF le jour de Thanksgiving. Mais la veille au soir, alors qu'Hanna, Mona, lui et quelques-uns de leurs copains se prélassaient dans le Jacuzzi de Jim Freed en buvant des Corona en douce, il avait poussé le vice encore plus loin. Fièrement, il avait annoncé qu'il venait de signer un vœu de chasteté par lequel il s'engageait à ne pas avoir de rapports sexuels avant le mariage. Tous ses amis, Hanna y compris, avaient été trop choqués pour réagir.

— Il n'est pas sérieux, affirma Hanna avec conviction.

Comment aurait-il pu l'être ? Des tas de jeunes signaient ce foutu papier. Hanna mettait ça sur le compte d'une mode passagère, comme les bracelets de Lance Armstrong ou le yogalates[1].

— Tu crois ? grimaça Mona en repoussant la longue frange

1. Discipline combinant exercices de yoga traditionnels et pilates (méthode pour harmoniser le corps et l'esprit).

qui lui tombait dans les yeux. On verra bien ce qui se passera vendredi prochain, à la soirée qu'organise Noel.

Hanna serra les dents. Elle avait l'impression que Mona se moquait d'elle.

— J'ai envie de faire du shopping, annonça-t-elle.

— Tiffany, ça te va ? suggéra Mona.

— C'est parfait.

Elles déambulèrent dans la nouvelle aile du centre commercial, entièrement réservée au luxe. Celle-ci abritait un Burberry, un Tiffany, un Gucci et un Coach, sentait le dernier parfum de Michael Kors et était bondée de ravissantes ados accompagnées de leurs non moins ravissantes mamans. Durant une virée en solo quelques semaines plus tôt, Hanna avait vu son ancienne copine Spencer Hastings entrer chez Kate Spade, et s'était souvenue que chaque saison, elle avait l'habitude de faire venir de New York l'intégralité de la gamme de cabas en Nylon.

Elle trouvait étrange de connaître ce genre de détails sur la vie d'une personne qu'elle ne côtoyait plus. Et en regardant Spencer examiner les bagages en cuir griffés Kate Spade, elle s'était demandé si son ancienne amie pensait la même chose qu'elle : la nouvelle aile du centre commercial était le genre d'endroit qu'Ali DiLaurentis aurait adoré. Ali avait manqué tant de choses... Le feu de joie du bal de printemps, l'année précédente. La soirée karaoké que Lauren Ryan avait organisée pour ses seize ans dans le manoir de ses parents. Le retour des chaussures à bout rond. Les étuis en cuir Chanel pour iPod nano... Et les iPod en général. Mais le plus rageant, c'est qu'elle avait manqué la spectaculaire métamorphose d'Hanna.

Quand la jeune fille s'admirait dans sa psyché, il lui arrivait d'imaginer Ali assise sur son lit, derrière elle, critiquant ses tenues comme elle avait l'habitude de le faire autrefois. Hanna avait perdu beaucoup de temps dans la peau d'une fille boulotte et peu sûre d'elle, mais les choses avaient bien changé.

Mona et elle entrèrent chez Tiffany. La boutique était tout en verre, chrome et lumières blanches qui faisaient encore davantage étinceler les diamants déjà parfaits. Mona examina les bijoux exposés et se tourna vers Hanna en haussant les sourcils.

— Un collier, peut-être?

— Pourquoi pas un bracelet à breloque? chuchota Hanna.

— Bonne idée.

Elles se dirigèrent vers une vitrine et admirèrent un bracelet avec une breloque en forme de cœur.

— Trop mignon, souffla Mona.

— Vous voulez l'essayer? leur proposa une élégante vendeuse d'âge mûr.

— Oh, je ne sais pas trop, minauda Hanna.

— Il vous irait à ravir, lui assura la femme en déverrouillant la vitrine pour y prendre le bracelet. Il est dans tous les magazines.

Hanna donna un petit coup de coude à Mona.

— Vas-y, toi.

Mona glissa le bracelet à son poignet.

— Il est vraiment magnifique.

La vendeuse se tourna vers une autre cliente. Mona ôta alors le bracelet et la fourra dans sa poche – comme ça, sans raison.

Pinçant les lèvres, Hanna héla une autre vendeuse, une jeune fille blonde qui portait du gloss corail.

— Je pourrais essayer ce bracelet, celui avec la breloque ronde?

— Bien sûr! (La fille le sortit de la vitrine.) J'ai le même. Je l'adore.

— Et les boucles d'oreilles assorties, réclama Hanna en les montrant du doigt.

— Tout de suite, mademoiselle.

Mona s'était dirigée vers la vitrine des diamants. Hanna tenait le bracelet et les boucles d'oreilles dans ses mains. En tout, il y en avait pour 350 $.

Soudain, une nuée de Japonaises se ruèrent vers le comptoir en désignant toutes un bracelet à breloque ronde. Hanna leva les yeux au plafond pour y chercher des caméras de surveillance et vérifia que la porte n'était pas munie d'un détecteur.

— Hanna, viens voir les Lucida ! s'exclama Mona.

Hanna hésita. Le temps ralentit. Elle remonta son poignet pour faire disparaître le bracelet sous sa manche. Puis elle laissa tomber les boucles d'oreilles dans son sac au monogramme Vuitton, le modèle Murakami avec les cerises. Son cœur battait la chamade. Elle adorait ce moment : celui où l'adrénaline prenait le dessus, où la tête lui tournait, où elle se sentait vivante.

Mona lui agita sous le nez sa main ornée d'un solitaire.

— Tu ne trouves pas que ça me va bien ?

Hanna lui prit le bras.

— Viens, allons faire un tour chez Coach.

— Tu ne veux rien essayer ? protesta Mona d'un air boudeur.

Elle faisait toujours traîner les choses une fois leur forfait accompli.

— Non. Les sacs à main nous appellent.

Hanna sentait le bracelet lui mordre légèrement l'avant-bras. Elles devaient sortir de là pendant que les Japonaises étaient encore agglutinées autour du comptoir et que la vendeuse blonde ne leur prêtait pas attention.

— D'accord, d'accord, soupira Mona.

D'un geste théâtral, elle ôta la bague et la rendit à la vendeuse en la tenant par le diamant – ce qu'on n'était pas censé faire, même Hanna savait ça.

— Trop petit, déclara-t-elle. Désolée.

— Nous en avons de plus gros, ajouta la femme.

— Viens, dit Hanna en tirant Mona par le bras.

Le cœur battant, elle entraîna son amie vers la sortie. La breloque pendait à son poignet, mais sa manche la dissimulait. Elle était passée maîtresse dans l'art de la fauche. Elle avait commencé par piquer des bonbons en vrac au supermarché, puis des CD chez Tower, puis des T-shirts chez Ralph Lauren – et chaque fois, elle se sentait un peu plus forte, un peu plus dangereuse. Fermant les yeux, elle franchit le seuil de la boutique et attendit que l'alarme sonne.

Mais rien ne se produisit. Mona et elle se retrouvèrent dehors.

Son amie lui pressa la main.

— Tu en as piqué un aussi?

— Évidemment. (Hanna releva sa manche pour le lui montrer.) Et puis ça.

Elle ouvrit son sac et désigna les boucles d'oreilles assorties.

Mona écarquilla les yeux.

— Merde alors!

Hanna sourit. Parfois, ça faisait du bien de damer le pion à votre meilleure amie. Pour ne pas tenter le diable, elle s'éloigna rapidement de Tiffany, guettant si quelqu'un les prenait en chasse. Mais elle n'entendit rien d'autre que le glouglou de la fontaine et une version muzak de *Oops!... I Did It Again*.

Moi aussi, songea-t-elle.

4

LE SUPPLICE DE LA PLANCHE

— Ma chérie, tu n'es pas censée manger tes moules avec les doigts. C'est inconvenant.

Spencer Hastings leva les yeux vers sa mère, Veronica, qui, de l'autre côté de la table, passait nerveusement les mains dans ses cheveux blond cendré au balayage impeccable.

— Désolée, marmonna-t-elle en saisissant la fourchette minuscule qui était posée à côté de son assiette.

— Ça me contrarie vraiment que Melissa aille s'installer dans la maison de Philadelphie avec toute cette poussière, dit Mme Hastings à son mari, ignorant les excuses de sa fille cadette.

Peter Hastings s'étira le cou. Quand il ne travaillait pas à son cabinet d'avocats, il pédalait furieusement dans les petits chemins de Rosewood en tenue de cycliste aux couleurs criardes, et agitait le poing chaque fois qu'une voiture le dépassait un peu vite. Du coup, il avait perpétuellement des crampes aux épaules.

— Et tous ces bruits de marteaux! Je ne vois vraiment pas comment elle va pouvoir étudier, insista Mme Hastings.

Spencer et ses parents étaient au Moshulu, un restaurant situé à bord d'un voilier dans le port de Philadelphie. Ils attendaient que Melissa les rejoigne pour fêter son diplôme de l'Université de Pennsylvanie, qu'elle venait de décrocher avec un an d'avance, et son entrée prochaine à l'École de commerce Wharton où elle allait entamer un troisième cycle. En guise de cadeau, les Hastings faisaient rénover leur maison de Philadelphie, pour qu'elle puisse s'y installer.

Dans deux jours à peine, Spencer entrerait en 1re à l'Externat de Rosewood et devrait se soumettre à un emploi du temps superchargé. En plus de ses cours, elle devrait suivre un stage de gestion des ressources humaines, s'occuper de l'organisation de la soupe populaire du lycée, participer à la création du livre de l'année, passer des auditions pour le club de théâtre, assurer ses entraînements de hockey sur gazon et envoyer des lettres de motivation pour les camps d'été au plus vite – car tout le monde savait que le meilleur moyen d'être accepté dans l'une des prestigieuses universités de l'Ivy League était de participer à un de ces camps.

Cependant, il y avait une chose qu'elle attendait avec impatience : emménager dans la grange réhabilitée qui se tenait au fond de la propriété familiale. Selon ses parents, rien de tel pour préparer son futur départ à la fac – la preuve, ça avait tellement bien fonctionné pour Melissa! Ce genre de phrase lui donnait envie de vomir. Mais pour une fois, elle ne serait que trop heureuse de marcher dans les traces de son aînée, puisqu'elles conduisaient à un endroit tranquille, inondé de lumière, où elle pourrait échapper à ses parents et à leurs disputes incessantes.

Depuis toujours, les deux sœurs entretenaient une rivalité

discrète mais intense – dont Spencer ne sortait jamais vainqueur. Elle avait remporté le prix d'excellence en physique quatre fois ; Melissa, cinq. Elle avait décroché la seconde place au concours de géographie en 5ᵉ ; Melissa avait fini première. Elle faisait partie du comité de rédaction du livre de l'année, de la distribution de toutes les pièces de théâtre, et elle avait pris l'option « niveau renforcé » dans cinq matières cette année ; Melissa avait fait toutes ces choses mais en plus, elle avait travaillé au centre équestre de leur mère et couru le marathon de Philadelphie en faveur de la recherche contre la leucémie. Si impressionnantes que soient sa moyenne et le nombre d'activités extrascolaires qu'elle casait dans son emploi du temps, Spencer ne parvenait jamais à atteindre le niveau de perfection de Melissa.

Saisissant une autre moule avec les doigts, elle l'enfourna dans sa bouche. Son père adorait le Moshulu – ses lambris de bois foncé, ses épais tapis orientaux, les odeurs de beurre et de vin rouge qui se mêlaient à l'air marin. Quand vous dîniez entre les mâts et les voiles, vous aviez l'impression de pouvoir sauter par-dessus bord, direct dans le port. Sur l'autre rive du fleuve Schuylkill, Spencer observa l'immense aquarium de Camden, dans le New Jersey. Un bateau décoré de guirlandes lumineuses dépassa le Moshulu. Quelqu'un lâcha des feux d'artifice jaunes depuis le pont avant. *Eux au moins, ils savent s'amuser,* soupira Spencer en son for intérieur.

— Comment s'appelle l'ami de Melissa, déjà ? demanda sa mère.

— Wren, je crois, répondit Spencer.

Et dans sa tête, elle ajouta : *En anglais, « roitelet », oiseau chanteur minuscule et dodu.*

— Elle m'a dit qu'il faisait médecine, se pâma sa mère. À l'Université de Pennsylvanie.

— Quelle surprise, murmura Spencer.

58

Elle mordit un peu trop fort dans un bout de coquille et frémit. Melissa allait leur présenter le garçon avec qui elle sortait depuis deux mois. Tous les petits amis de sa sœur se ressemblaient : physique parfait, manières irréprochables, joueurs de golf. Melissa n'avait pas une once d'originalité et recherchait systématiquement le même profil.

— Maman ! lança une voix familière derrière Spencer.

Melissa fondit sur leurs parents et donna un gros baiser à chacun d'eux. Elle n'avait pas changé de look depuis le lycée. Ses cheveux blond cendré étaient toujours coupés au carré sous le menton. Elle ne se maquillait pas à l'exception d'une touche de fond de teint, portait une robe jaune à encolure carrée, très mémère, un cardigan rose avec des boutons de nacre et des chaussures à petits talons relativement mignonnes.

— Ma chérie ! s'exclama leur mère.

— Maman, papa, je vous présente Wren, dit Melissa en le tirant par le bras.

Spencer fit de son mieux pour empêcher sa mâchoire de se décrocher. Wren n'avait rien de minuscule ni de dodu, et il ne ressemblait pas plus à un oiseau chanteur qu'aux précédents copains de Melissa. Grand et dégingandé, il portait une magnifique chemise Thomas Pink. Ses cheveux noirs dégradés et ébouriffés lui tombaient dans le cou. Il avait un teint parfait, des pommettes hautes et des yeux bridés.

Il serra la main des Hastings, puis s'assit à la table. Melissa demanda à sa mère où elle devait envoyer la facture du plombier pendant que Spencer attendait que quelqu'un la présente et que Wren feignait d'être très intéressé par son verre de vin.

— Je suis Spencer, dit enfin la jeune fille, espérant que son haleine ne sentait pas trop les moules marinières.

L'autre fille de la famille Hastings. Celle qu'on planque à la cave.

Wren sourit.

· Cool.

Était-ce un accent anglais qu'elle avait perçu ?

Tu ne trouves pas ça bizarre qu'ils n'aient posé aucune question te concernant ? demanda Spencer en désignant ses parents, qui parlaient de leur entrepreneur et du bois le plus approprié pour refaire le plancher du salon.

Wren haussa les épaules, puis chuchota :

— Un peu.

Il lui fit un clin d'œil.

Soudain, Melissa prit la main du jeune homme.

— Oh, je vois que vous avez déjà fait connaissance, roucoula-t-elle.

— Oui, sourit Wren. Tu ne m'avais pas dit que tu avais une sœur.

Bien sûr que non...

— Pendant que nous y sommes..., commença Mme Hastings. Melissa, ton père et moi nous demandions où tu pourrais loger en attendant la fin des travaux. Et je viens juste d'avoir une idée : tu pourrais revenir à Rosewood et vivre avec nous pendant quelques mois. Ta fac n'est pas très loin en voiture.

Melissa plissa le nez. *Je t'en supplie, refuse*, songea Spencer.

— Eh bien...

Melissa rajusta la bretelle de sa robe jaune. Plus elle la regardait, plus Spencer trouvait que cette couleur lui donnait l'air malade.

Sa sœur jeta un coup d'œil en biais à Wren.

— En fait... Wren et moi, on comptait s'installer ensemble dans la maison de Philadelphie, avoua-t-elle.

— Oh ! (Mme Hastings sourit aux deux jeunes gens.)

Dans ce cas, je suppose que Wren pourrait venir aussi. Qu'en penses-tu, Peter?

Spencer dut serrer les bras sur sa poitrine pour empêcher son cœur d'exploser. Melissa et Wren allaient vivre ensemble? Sa sœur avait vraiment du toupet. Spencer n'osait pas imaginer la réaction de ses parents si *elle* leur balançait ce genre de bombe en plein repas. Sa mère la forcerait réellement à vivre dans la cave, ou peut-être à l'écurie. Elle n'aurait qu'à s'installer dans le box de la chèvre qui tenait compagnie aux chevaux.

— Pourquoi pas? répondit M. Hastings. Ça aura le mérite d'être calme. Ta mère est à l'écurie pendant le plus gros de la journée, et bien entendu, Spencer est en cours.

— Tu es étudiante? demanda Wren à la jeune fille. Où ça?

— Elle est encore au lycée, intervint Melissa. (Elle détailla sa cadette comme si elle la jaugeait, depuis sa robe de tennis écru Lacoste jusqu'à ses longs cheveux blonds ondulés en passant par ses boucles d'oreilles en diamants de deux carats.) Elle va à l'Externat de Rosewood, comme moi dans le temps. J'ai oublié de te demander, Spence : tu es présidente du bureau des élèves de ta promo cette année?

— Vice-présidente, marmonna Spencer, qui était certaine que sa sœur le savait déjà.

— Oh, tu dois être soulagée! feignit de s'extasier Melissa.

— Non, répondit sèchement Spencer.

Au printemps précédent, elle s'était fait battre aux élections et avait dû se contenter du poste de vice-présidente – elle qui détestait perdre.

Melissa secoua la tête.

— Tu ne comprends pas, Spence – c'est teeeellement de boulot. Quand j'étais présidente, je n'avais presque plus de temps pour le reste.

— C'est vrai que tu accumules les activités, Spencer,

61

renchérit Mme Hastings. Entre le livre de l'année et les matchs de hockey...

— Et puis, tu monteras en grade si jamais le président meurt, ajouta Melissa en lui faisant un clin d'œil comme si c'était une plaisanterie entre elles – alors que Spencer n'y voyait rien de drôle.

Melissa reporta son attention sur leurs parents.

— Maman, je viens d'avoir une idée géniale. Wren et moi, on pourrait loger dans la grange. Comme ça, on ne vous dérangerait pas.

Spencer eut l'impression qu'on venait de lui donner un coup de pied dans le ventre. La grange?

Mme Hastings porta un index manucuré à ses lèvres au rouge impeccable.

— Mmmh. (Hésitant, elle se tourna vers Spencer.) Ça t'embêterait d'attendre quelques mois, ma chérie? Après ça, la grange serait tout à toi.

— Oh! (Melissa posa sa fourchette.) Je ne savais pas que tu voulais t'y installer, Spence. Je ne veux pas que ça pose problème...

— Ça ira, coupa Spencer en saisissant son verre d'eau glacée et en en buvant une grosse gorgée. (Elle refusait de faire un caprice devant ses parents et sa sœur si parfaite.) Je peux attendre.

— Vraiment? insista Melissa. C'est tellement gentil de ta part!

Leur mère posa une main froide et gracile sur celle de Spencer.

— Je savais que tu comprendrais, dit-elle, rayonnante.

— Excusez-moi. (Vaguement nauséeuse, Spencer repoussa sa chaise et se leva.) Je reviens tout de suite.

Elle traversa le pont du bateau, descendit l'escalier recouvert de moquette et sortit par l'entrée principale. Elle avait besoin de retrouver la terre ferme.

Au loin, les immeubles de Philadelphie découpaient leurs silhouettes scintillantes sur le ciel nocturne. Spencer alla s'asseoir sur un banc au bout de la jetée et respira comme elle avait appris à le faire au yoga. Puis elle sortit son portefeuille et entreprit de ranger ses billets. Elle les tourna tous dans le même sens avant de les classer par ordre de valeur et par numéro de série. Ça la calmait toujours.

Quand elle eut fini, elle leva les yeux vers le pont du restaurant. Ses parents faisaient face au fleuve et ne pouvaient donc pas la voir. Plongeant la main dans son sac Hogan beige, elle en sortit son paquet de Marlboro de secours et alluma une cigarette.

Elle tira plusieurs taffes rapides et nerveuses. Lui piquer la grange, c'était déjà dégueulasse, mais le faire avec autant de courtoisie... C'était du Melissa tout craché. Sa sœur avait toujours été tout sucre tout miel en apparence – alors qu'à l'intérieur, c'était la pire des garces. Et seule Spencer semblait s'en rendre compte.

Elle n'avait réussi à prendre sa revanche qu'une fois, quelques semaines avant la fin de sa 5e. Un soir, Melissa et son petit ami de l'époque, Ian Thomas, étaient en train de réviser pour leurs examens. Quand le jeune homme était parti, Spencer l'avait rattrapé près de sa voiture, qu'il avait garée derrière une rangée de pins. Elle voulait juste flirter un peu avec lui – un mec si craquant avec sa sainte nitouche de sœur, quel gâchis ! Aussi l'avait-elle embrassé sur la joue. Mais quand Ian l'avait plaquée contre la portière du côté passager, elle n'avait ni tenté de s'enfuir ni opposé la moindre résistance. Ils ne s'étaient séparés que lorsque l'alarme de la voiture s'était déclenchée.

Plus tard, Spencer avait raconté l'incident à Ali, qui lui

avait fait comprendre qu'elle s'était mal comportée et qu'elle devrait tout avouer à sa sœur. Spencer avait simplement pris ça pour de la jalousie, dans la mesure où les deux filles s'étaient lancé un pari cette année : à qui embrasserait le plus de garçons plus âgés. Rajouter Ian à sa liste la plaçait en tête.

La jeune fille inspira profondément. Elle détestait se remémorer cette période de sa vie. Mais elle vivait juste à côté de l'ancienne maison des DiLaurentis, et une des fenêtres de la chambre d'Ali faisait face à la sienne. C'était comme si son amie la hantait sept jours sur sept, vingt-quatre heures sur vingt-quatre. Elle n'avait qu'à regarder à travers la vitre pour voir Ali pendre son uniforme de la *JV Team* bien en vue, ou se pavaner dans sa chambre en racontant des potins à ses copines au téléphone.

Spencer espérait avoir profondément changé depuis la 5e. À l'époque, toutes les filles de leur petite bande étaient des pestes – plus particulièrement Alison… mais pas seulement. Son pire souvenir remontait à « l'affaire Jenna ». Chaque fois qu'elle y repensait, elle se sentait mal et rêvait de pouvoir l'effacer de sa mémoire comme dans le film *Eternal Sunshine of the Spotless Mind*.

— Fumer, c'est très mauvais pour ta santé, tu sais.

Spencer pivota. Wren se tenait à côté d'elle. Surprise, elle le dévisagea.

— Qu'est-ce que tu fais ici ?

— Melissa et tes parents n'arrêtent pas de… (Avec ses mains, le jeune homme mima des bouches en train de jacasser.) Et j'ai reçu un message.

Il sortit son BlackBerry.

— De l'hôpital ? demanda Spencer. Il paraît que tu es médecin.

— Euh… en fait, je suis juste en première année de

médecine, rectifia Wren. (Du menton, il désigna sa clope.) Je peux tirer une taffe?

Spencer grimaça.

— Tu viens de me dire que fumer était mauvais pour ma santé, répliqua-t-elle en lui tendant sa Marlboro.

— Ouais, bon. (Wren aspira profondément.) Ça va?

— Ça ira. (Spencer n'avait pas l'intention d'ouvrir son cœur au nouveau petit ami de sa sœur, d'autant qu'il venait de lui piquer sa grange.) D'où viens-tu?

— Du nord de Londres. Mais mon père est coréen. Il est venu en Angleterre pour étudier à Oxford et il n'est jamais reparti. Tout le monde me pose la question.

— Je n'allais pas le faire, se défendit Spencer, même si elle y avait pensé. Comment as-tu rencontré Melissa?

— Elle était devant moi dans la file d'attente du Starbucks.

— Oh...

Trop naze!

— Elle achetait un *latte*, ajouta Wren.

Il donna un petit coup de pied dans la bordure en pierre de la jetée.

— Chouette, murmura vaguement Spencer en tripotant son paquet de Marlboro.

— Ça remonte à quelques mois. (Le jeune homme tira encore une bouffée. Sa main tremblait légèrement, et son regard ne parvenait pas à se fixer plus d'une seconde.) Elle me plaisait déjà avant que tes parents promettent de lui prêter leur maison.

— Je vois, acquiesça Spencer.

Wren avait l'air un peu nerveux. Sans doute parce qu'il rencontrait les parents de sa petite amie pour la première fois. À moins que ce ne soit la perspective d'emménager avec

Melissa qui le préoccupe. À sa place, Spencer se serait jetée dans la Schuylkill depuis la vigie du Moshulu.

Wren lui rendit sa cigarette.

— J'espère que ça ne te dérange pas que je vienne vivre chez toi.

— Je m'en fous, marmonna Spencer.

Wren se passa la langue sur les lèvres.

— Je parviendrai peut-être à te faire arrêter de fumer. C'est très mauvais l'addiction à la clope.

Spencer se raidit.

— Je ne suis pas accro.

— Bien sûr que non, sourit Wren.

Elle secoua la tête avec véhémence.

— Non, jamais je ne laisserai un truc pareil se produire.

De fait, Spencer détestait que les choses lui échappent.

— En tout cas, tu as l'air de savoir ce que tu fais, commenta Wren.

— Absolument.

— Tu es toujours comme ça? interrogea-t-il, les yeux brillants.

Quelque chose dans le ton léger, presque taquin, qu'il avait employé fit hésiter Spencer. Est-ce qu'il était-il en train de flirter avec elle? Ils se fixèrent pendant quatre ou cinq secondes, jusqu'à ce qu'un groupe de clients descende du bateau sur la jetée. Spencer baissa alors les yeux.

— Tu ne crois pas qu'on devrait y retourner? suggéra Wren.

Spencer hésita. Elle jeta un coup d'œil à la rue regorgeant de taxis prêts à l'emmener où elle voulait. Elle avait presque envie d'entraîner Wren au Citizens Bank Park pour regarder un match de base-ball, manger des hot-dogs, encourager les joueurs et parier sur le score final. Elle pourrait utiliser l'abonnement de son père – la plupart du temps, personne n'occupait ces sièges réservés à l'année. Wren aurait sans doute adoré ça. Pourquoi retourner dans ce restaurant où Melissa et ses parents allaient continuer à les ignorer ? Un taxi s'arrêta au feu rouge à quelques mètres de Spencer. La jeune fille jeta un coup d'œil en biais à Wren. *Non, ça serait mal*, décida-t-elle. Et puis, qui remplacerait le président de sa promo s'il mourait et qu'elle se faisait tuer par sa propre sœur ?

— Après toi, dit-elle en tenant la porte à Wren pour qu'il puisse monter à bord.

5

$\mathcal{D}$EVINE QUI VIENT ENSEIGNER?

— Hé, la Finlandaise !

C'était le mardi suivant – le jour de la rentrée. Aria se rendait d'un pas vif à son premier cours de la journée. Se retournant, elle aperçut Noel Kahn courir à sa rencontre. Il portait son blazer de l'Externat de Rosewood par-dessus une chemise et une cravate.

— Hé...

Aria lui adressa un signe de tête tout en continuant à avancer.

— Tu n'es pas restée à l'entraînement l'autre jour, lui reprocha Noel en adaptant son pas au sien.

— Tu ne t'attendais quand même pas à ce que je vous regarde jouer ?

Aria lui jeta un coup d'œil en coin. Il était tout rouge.

— Ben, si. On a tout déchiré. J'ai marqué trois buts.

— Tant mieux pour toi, dit la jeune fille parfaitement indifférente.

Était-ce censé l'impressionner ?

Elle continua à longer le couloir dont elle avait rêvé si souvent durant son séjour en Islande. Au-dessus de sa tête, le même plafond voûté couleur coquille d'œuf. Sous ses pieds, le même plancher en bois qui faisait penser à l'intérieur d'une ferme douillette. Sur les murs, les mêmes photos d'anciens élèves qui semblaient avoir avalé un manche à balai. Sur sa gauche, les mêmes rangées de vilains casiers métalliques un peu cabossés. Les haut-parleurs diffusaient toujours la même musique que dans son souvenir : l'*Ouverture 1812* de Tchaïkovski – entre les cours, la direction passait du classique prétextant son influence positive sur le cerveau. Autour d'elle grouillaient les mêmes personnes qu'elle avait fréquentées durant toute sa vie... et tous la dévisageaient comme une bête curieuse.

Aria baissa la tête. La dernière fois que ses camarades l'avaient vue, avant son départ pour l'Islande au début de la 4e, elles formaient une bande de filles dévastées par la disparition de leur meilleure amie. À l'époque, où qu'elle aille, tout le monde chuchotait sur son passage.

À présent, il lui semblait n'être jamais partie. Et elle avait presque l'impression qu'Ali était toujours là. Elle retint son souffle en apercevant une queue-de-cheval blonde qui filait vers le gymnase. Et quand elle passa devant le couloir du studio de poterie où Ali et elle se retrouvaient entre les cours pour échanger les derniers potins, elle crut presque entendre son amie crier : « Attends-moi ! » Elle pressa une main sur son front pour voir si elle avait de la fièvre.

— Tu commences par quoi ? interrogea Noel, qui ne l'avait pas lâchée d'une semelle.

Aria lui jeta un regard surpris avant de consulter son emploi du temps.

— Anglais.

— Moi aussi. Avec M. Fitz ?

— C'est ça, marmonna-t-elle. Il est bien?

— Aucune idée. Il est nouveau. Mais j'ai entendu dire qu'il avait eu une bourse Fulbright.

Les sourcils froncés, Aria fixa Noel d'un air soupçonneux. Depuis quand se souciait-il du CV de ses profs?

En tournant dans le couloir, elle aperçut une fille debout sur le seuil de la classe d'anglais. Elle lui parut à la fois familière et inconnue. Aussi mince qu'un mannequin, elle avait de longs cheveux brun-roux et portait une jupe d'uniforme à carreaux bleus roulée sur les hanches, des sandales à semelle compensée violettes et un bracelet à breloque de chez Tiffany.

Le cœur d'Aria s'accéléra. Elle s'était maintes fois demandé comment elle réagirait en revoyant ses amies d'autrefois, et voilà qu'elle se retrouvait face à Hanna. Qu'était-il arrivé à la gamine boulotte qu'elle avait connue en 5e?

— Hé, fit-elle doucement.

Hanna se tourna vers elle et la détailla de la tête aux pieds, depuis ses longs cheveux noirs coupés à la diable jusqu'à ses bottines marron aux talons un peu éculés, en passant par sa chemise blanche réglementaire et par ses gros bracelets en bakélite. Un moment, elle resta muette. Puis elle s'exclama :

— Oh, mon Dieu! (Au moins, elle avait toujours la même voix haut perchée.) C'était comment, en... Où tu étais, déjà? En Tchécoslovaquie?

— Hum, oui, répondit Aria.

Tu y es presque.

— Cool!

Hanna lui adressa un sourire forcé.

— Apparemment, Kirsten s'est lassée de South Beach, interrompit une autre fille qui se tenait près d'Hanna.

Aria tourna la tête vers elle, tentant de la resituer. Mona

Vanderwaal? La dernière fois qu'elle l'avait vue, elle s'était fait un million de petites tresses terminées par des élastiques multicolores, et elle était perchée sur une trottinette. À présent, elle avait l'air encore plus glamour qu'Hanna.

— Tu trouves aussi? grimaça Hanna. (Puis elle haussa les épaules en direction d'Aria et de Noel, toujours à ses côtés.) Désolée, vous voulez bien nous excuser?

Aria entra dans la salle et se laissa tomber sur une chaise derrière le premier pupitre qu'elle vit. Se prenant la tête à deux mains, elle respira profondément pour se calmer.

« L'enfer, c'est les autres », chantonna-t-elle. C'était sa citation préférée du philosophe français Jean-Paul Sartre – et un parfait mantra pour Rosewood.

Au bord de la panique, elle se balança d'avant en arrière pendant quelques instants. La seule chose qui la réconfortait un peu, c'était le souvenir d'Ezra, le type qu'elle avait rencontré au Snookers. Il l'avait suivie aux toilettes, et là, il l'avait embrassée. Leurs bouches s'imbriquaient si idéalement! Ils ne s'étaient pas cogné les dents une seule fois. Les mains du jeune homme avaient caressé le bas de ses reins, son ventre, ses jambes... *Oui, il y a une vraie connexion entre nous,* songea Aria. Et ce n'était pas juste une histoire de langue et de salive. C'était beaucoup plus que ça, elle le savait.

La veille au soir, en repensant à leur baiser, elle avait été tellement submergée par l'émotion qu'elle avait écrit un *haïku* à Ezra pour lui exprimer ses sentiments – les *haïkus* avaient toujours été son genre de poème préféré. Satisfaite du résultat, elle l'avait tapé sur son téléphone portable et envoyé par texto au numéro que le jeune homme lui avait donné.

Poussant un long soupir torturé, elle regarda autour d'elle. La salle de classe sentait les livres et le désinfectant. Les grandes fenêtres à quatre carreaux faisaient face à la pelouse sud du campus. Au-delà, on apercevait des collines en pente douce, et quelques arbres dont le feuillage virait à l'orangé. Une affiche de citations shakespeariennes était accrochée près du tableau noir. Elle voisinait avec un autocollant « Mort aux cons ». Apparemment, le concierge avait essayé de l'enlever et capitulé à la moitié.

Était-ce pathétique d'avoir envoyé un texto à Ezra à deux heures et demie du matin ? Le jeune homme ne lui avait toujours pas répondu. Aria plongea la main dans son sac, tâtonna à la recherche de son portable et le sortit. « 1 message reçu ». Son estomac se noua de soulagement, d'excitation et de nervosité. Mais au moment où elle appuyait sur la touche lecture, une voix l'interrompit :

— Excusez-moi. Vous n'êtes pas autorisés à utiliser vos portables en classe.

Aria couvrit son téléphone de ses mains et leva les yeux. L'homme qui venait de dire ça – le nouveau prof, supposait-elle – tournait le dos au reste de la classe. Il était en train d'écrire sur le tableau noir « M. Fitz ». Probablement son nom. Il tenait un papier en haut duquel se détachait le blason de l'Externat de Rosewood. Vu de derrière, il avait l'air jeune. Quelques-unes des filles le détaillèrent d'un air approbateur tout en se faufilant entre les pupitres à la recherche d'une place libre. Hanna laissa même échapper un petit sifflement.

— Je sais que je suis nouveau, dit M. Fitz en ajoutant « anglais renforcé » sous son nom, mais j'ai reçu des instructions très strictes de la direction. L'usage des téléphones portables est interdit dans l'enceinte de l'établissement.

Puis il se retourna. La feuille lui échappa des mains et tomba sur le lino.

La bouche d'Aria s'asséna instantanément. Face à elle et à ses camarades se tenait Ezra du Snookers. Ezra à qui elle avait envoyé un *haïku*. *Son* Ezra, dégingandé et adorable dans sa veste aux couleurs de l'Externat avec sa chemise correctement boutonnée, son beau nœud de cravate, ses cheveux bien peignés et un porte-documents en cuir sous le bras gauche. M. Fitz, anglais renforcé.

Il la fixa, livide.

— Merde alors...

Toute la classe tourna la tête pour voir qui il regardait. Gênée, Aria baissa les yeux vers son portable et le texto qu'elle avait reçu.

Aria : Surprise! Je me demande ce que Pétunia penserait de ça...

— A

Merde alors! De fait.

$\mathscr{E}$MILY EST FRANÇAISE, ELLE AUSSI!

Mardi après-midi, après la sonnerie annonçant la fin des cours, Emily se tenait devant son casier métallique vert. La porte était toujours couverte d'autocollants de l'an passé : Équipe de natation des USA, Liv Tyler en Arwen l'elfe, plus un magnet « Nage papillon nue ». Son petit ami, Ben, la serrait de près.

— Tu veux passer chez Wawa? lui demanda-t-il.

Son blouson de sport pendait sur ses épaules musclées, et ses cheveux blonds étaient légèrement ébouriffés.

— Non, ça va, répondit Emily.

Parce qu'ils avaient entraînement à trois heures et demie, les nageurs restaient généralement au lycée, et envoyaient quelqu'un à la supérette leur chercher un sandwich, un thé glacé et une barre chocolatée pour se remplir l'estomac avant d'aller faire un nombre incalculable de longueurs.

Quelques garçons qui se dirigeaient vers le parking tapèrent dans la main de Ben. Spencer Hastings agita la main pour le saluer, elle était avec lui en cours d'histoire l'année précédente. Emily fit coucou elle aussi avant de réaliser que son ancienne amie ne la regardait pas. Après tout ce qu'elles avaient traversé ensemble, tous les secrets qu'elles avaient partagés, la jeune fille avait du mal à croire qu'elles puissent se comporter comme des étrangères.

Leurs camarades passés, Ben reporta son attention sur Emily et fronça les sourcils.

— Tu as gardé ton blouson. Tu ne viens pas t'entraîner ?

— Hum. (Emily referma son casier et fit tourner les molettes du cadenas.) Tu sais, Maya ? La fille à qui j'ai fait visiter le lycée aujourd'hui ? Je la raccompagne chez elle parce que c'est son premier jour.

Ben grimaça.

— Comme c'est gentil de ta part. Les parents des futurs élèves payent la visite guidée, mais toi, tu fais ça gratuitement.

— Bah, il n'y en a que pour dix minutes à pied, répliqua Emily avec un sourire gêné.

Ben la dévisagea et hocha doucement la tête.

— Quoi ? J'essaye juste d'être sympa ! se défendit Emily.

— Pas de problème.

Le regard de Ben se posa sur Casey Kirshner, le capitaine de l'équipe de lutte. Souriant, il lui fit un signe de la main.

Maya apparut une minute après que Ben ne dévale l'escalier latéral qui conduisait au parking des élèves. Elle portait un blouson en jean blanc sur sa chemise d'uniforme et des tongs Oakley aux pieds. Ses ongles n'étaient pas vernis.

— Hé, lança-t-elle.

— Hé.

Emily se composa une mine joyeuse, mais se sentait mal à l'aise. Peut-être aurait-elle dû suivre Ben à l'entraînement. Y avait-il quelque chose de bizarre à raccompagner Maya chez elle et à revenir ensuite ?

— Tu es prête ? demanda Maya.

Elles traversèrent le campus : un tas de vieux bâtiments en brique qui se dressaient le long d'une petite route tortueuse et peu fréquentée. Il y avait même un clocher gothique qui égrenait les heures.

Un peu plus tôt, Emily avait montré à Maya toutes les commodités habituelles des écoles privées – mais aussi tous les trucs cool que la plupart des gens devaient découvrir par eux-mêmes, parmi eux les toilettes du premier étage qui crachaient parfois un geyser quand on tirait la chasse, la colline au pied de laquelle les élèves se réfugiaient quand ils séchaient le cours de gym et l'unique distributeur qui vendait du Coca vanille (sa boisson préférée). Les deux filles s'étaient même moquées de l'air coincé du mannequin qui figurait sur les affiches anti-tabac punaisées à l'extérieur de l'infirmerie. C'était bon d'avoir de nouveau quelqu'un avec qui plaisanter.

Tandis qu'elles coupaient à travers un champ de maïs en friche, Emily s'imprégna de tous les petits détails de l'apparence de Maya : son nez retroussé, sa peau couleur café, le pli de son col de chemise... Comme elles marchaient côte à côte en balançant les bras, leurs mains n'arrêtaient pas de se frôler.

— Tout est si différent ici, commenta Maya en reniflant. Ça sent le Saint-Marc ménage !

Elle enleva son blouson en jean et remonta les manches de sa chemise. Emily tritura nerveusement ses cheveux, regrettant qu'ils ne soient pas foncés et ondulés comme ceux de Maya plutôt que d'un blond-roux vaguement verdâtre à cause du chlore. Elle se sentait légèrement coincée aux entournures dans son corps musclé, qui n'était plus aussi mince qu'autrefois. D'habitude, elle se fichait de son apparence – même lorsqu'elle était en maillot de bain, c'est-à-dire pratiquement à poil.

— Et les gens ont tous une passion, continua Maya.

Comme cette fille qui est dans ma classe de physique – Sarah. Elle essaye de monter un groupe, et elle m'a demandé d'en faire partie!

— Vraiment? Tu joues de quoi?

— De la guitare. C'est mon père qui m'a appris. Mon frère est bien meilleur que moi, mais bon.

— Wouah! souffla Emily. C'est cool!

— Oh, mon Dieu! (Maya agrippa le bras de sa camarade.) Tu devrais venir dans le groupe avec nous! Ce serait génial, non? Sarah a dit qu'on répéterait trois jours par semaine après la fin des cours. Elle, elle joue de la basse.

— Mais moi, je ne sais jouer que de la flûte, protesta Emily avec l'impression désagréable de parler comme Bourriquet dans *Winnie l'Ourson*.

— La flûte, c'est super! s'enthousiasma Maya. Il nous faudrait aussi quelqu'un à la batterie.

Emily soupira.

— Je ne peux vraiment pas. J'ai mon entraînement de natation pratiquement tous les jours.

— Mmmh. Tu ne pourrais pas sécher une fois de temps en temps? Je parie que tu serais très douée pour la batterie.

— Mes parents me tueraient.

Renversant la tête en arrière, Emily scruta le vieux pont de chemin de fer qui les surplombait. Les trains ne passaient plus par là. Maintenant, c'était juste un endroit où les ados venaient se bourrer la gueule en cachette.

— Pourquoi? s'étonna Maya. C'est quoi, le problème?

Emily hésita. Qu'était-elle censée répondre? Que ses parents s'attendaient à ce qu'elle continue la natation parce que des recruteurs de Stanford suivaient déjà les progrès de Carolyn? Que Jake, son frère aîné, et Beth, la plus âgée de ses sœurs, étudiaient à l'Université d'Arizona tous frais payés grâce à leurs performances de nageurs?

Que si elle-même ne décrochait pas une bourse sportive maximale pour une fac prestigieuse, sa famille considérerait ça comme un échec ? Maya n'avait pas peur de fumer de l'herbe pendant que ses parents étaient à l'épicerie. Comparativement, M. et Mme Fields avaient l'air d'affreux bourgeois conservateurs de la côte Est. Ce qu'ils étaient. Mais tout de même...

— C'est un raccourci pour aller chez toi.

Emily désigna la pelouse de l'énorme maison coloniale qui se dressait de l'autre côté de la rue. Dans le temps, ses amies et elles coupaient par là les jours d'hiver pour arriver plus vite chez Ali.

Les deux filles s'engagèrent dans l'herbe, évitant l'arrosage automatique destiné aux bosquets d'hortensias. Tandis qu'elles se frayaient un chemin à travers les buissons touffus, Emily s'arrêta net. Un petit bruit guttural s'échappa de sa gorge.

Elle n'était pas revenue dans ce jardin – celui qui s'étendait derrière l'ancienne maison des DiLaurentis – depuis une éternité. Là s'étendait la terrasse en teck où Ali et elle avaient fait d'innombrables parties de spit[1] ; le bout de pelouse usée où elles avaient branché l'iPod blanc d'Ali à des haut-parleurs et dansé comme des folles. Sur sa gauche, le vieux chêne au tronc noueux montait toujours la garde. La cabane jadis perchée dans ses branches avait disparu, mais des initiales étaient toujours gravées dans l'écorce du tronc : EF + AD. Emily Fields et Alison DiLaurentis. Emily rougit. À l'époque, elle n'avait pas bien compris pourquoi elle avait fait ça. Elle voulait juste montrer à Ali combien elle se réjouissait d'être son amie.

Maya, qui était passée devant elle, lui jeta un coup d'œil par-dessus son épaule.

1. Variante du poker.

— Ça va?

Emily fourra les mains dans les poches de son blouson. Un instant, elle envisagea de parler d'Ali à Maya. Mais un oiseau passa au-dessus d'elle en poussant un cri, et le courage lui manqua.

— Oui, oui, ça va.

— Tu veux entrer? proposa Maya.

— Non, je... Il faut que je retourne au lycée, bredouilla Emily. J'ai entraînement.

— Oh... (Maya plissa les yeux.) Tu n'étais pas obligée de me raccompagner, andouille!

— Je sais, mais je ne voulais pas que tu te perdes.

— Tu es vraiment mignonne!

Maya glissa les mains derrière son dos et balança ses hanches. Emily se demanda ce qu'elle voulait dire par « mignonne ». Était-ce une expression californienne?

— Alors, amuse-toi bien à la piscine. Et merci pour la visite guidée.

— De rien.

Emily s'avança, et leurs deux corps se plaquèrent l'un contre l'autre.

— Mmmh, fit Maya en la serrant contre elle.

Elles reculèrent et se regardèrent avec un sourire mi-ravi, mi-embarrassé. Puis Maya se pencha vers Emily et l'embrassa sur les deux joues.

— Mouah, mouah! Comme les Français.

— D'accord, je veux bien être française, gloussa Emily, oubliant Ali et le vieux chêne. Mouah!

Elle embrassa la joue gauche de Maya. Sa peau était aussi douce que celle d'une pêche.

Puis Maya l'embrassa de nouveau sur la joue droite – un peu plus près de la bouche, et sans faire de bruit. Son haleine sentait le chewing-gum à la banane. Emily recula brusquement, rattrapant son sac de gym avant qu'il ne glisse de son épaule. Quand elle releva les yeux, Maya la fixait en souriant.

— À plus, lui dit-elle, l'œil pétillant. Sois sage.

Dans les vestiaires de la piscine, Emily replia sa serviette mouillée. Elle n'avait pas touché terre de tout l'après-midi. Une fois Maya rentrée chez elle d'un pas sautillant, elle était revenue au lycée à toutes jambes, comme si courir pouvait démêler l'imbroglio de sentiments qui s'était développé en elle. Les initiales gravées sur le tronc du chêne l'avaient hantée tandis qu'elle enchaînait les longueurs. Quand un coup de sifflet avait signalé le début de l'entraînement aux départs et aux virages, elle avait cru sentir le chewing-gum à la banane de Maya et entendre son rire joyeux. À présent, debout devant son casier ouvert, elle se demandait si elle ne s'était pas lavé les cheveux deux fois. La plupart des autres filles étaient encore en train de se raconter les derniers potins dans les douches communes, mais Emily planait trop pour se joindre à elles.

Comme elle saisissait le T-shirt et le jean pliés avec soin sur l'étagère de son casier, un petit mot tomba à ses pieds. Son prénom était marqué dessus, dans une écriture qu'elle ne reconnaissait pas et sur un papier à petits carreaux qui ne lui disait rien. Elle se baissa pour le ramasser sur le plancher mouillé.

Salut Em,

Tu m'as remplacée, snif! Tu t'es trouvé une autre amie à embrasser!

— A

Les orteils d'Emily se crispèrent sur le bord du tapis en caoutchouc, et son souffle s'étrangla dans sa gorge. Elle balaya la pièce du regard. Personne ne faisait attention à elle.

Est-ce qu'elle rêvait? Elle fixa le petit mot en essayant de réfléchir rationnellement. Maya et elle étaient dehors, mais elle n'avait vu personne d'autre dans les parages à ce moment-là.

Et... *Remplacée? Une autre amie à embrasser?* Les mains d'Emily tremblaient. Elle détailla à nouveau la signature tandis que les rires de ses camarades se répercutaient sur les murs.

Dans toute sa vie, elle n'avait embrassé qu'une seule autre fille. Deux jours après avoir gravé leurs initiales dans le chêne, et une semaine et demie avant la fin de leur année de 5e.

Alison.

7

SPENCER A UN (DELTOÏDE) POSTÉRIEUR BIEN FERME

— Regarde-moi ce cul !

— La ferme !

Spencer donna un coup dans le protège-tibia de son amie Kirsten Cullen avec sa crosse de hockey. Les deux filles étaient censées répéter leurs tactiques de défense, mais comme le reste de leur équipe, elles étaient bien trop occupées à mater le nouvel assistant de l'entraîneur. Qui n'était autre que Ian Thomas.

L'adrénaline picotait la peau de Spencer. Bizarre, vous avez dit bizarre ? Elle se souvenait avoir entendu Melissa dire que Ian était parti en Californie. D'un autre côté, des tas de gens finissaient par revenir à Rosewood sans qu'on s'y attende.

— Ta sœur a été trop conne de le larguer, déclara Kirsten. Il est super sexy.

— Chuuut, gloussa Spencer. Et ce n'est pas ma sœur qui l'a largué, mais l'inverse.

Coup de sifflet.

— Bougez-vous, les filles! cria Ian en courant vers elles.

Spencer, comme si elle se moquait de l'injonction, se pencha pour refaire ses lacets. Elle sentit le regard du jeune homme se poser sur elle.

— Spencer? Spencer Hastings?

Elle se redressa lentement.

— Oh! Ian, c'est bien ça?

L'ex de Melissa la gratifia d'un sourire tellement épanoui qu'elle fut étonnée que ses joues ne se déchirent pas. Il avait toujours le look du jeune Américain dynamique, celui qui va prendre la direction de l'entreprise familiale avant son vingt-cinquième anniversaire, mais à présent, ses cheveux bouclés étaient un peu plus longs et un peu moins bien disciplinés.

— Qu'est-ce que tu as grandi! s'émerveilla-t-il.

Spencer haussa les épaules.

— Je suppose que oui.

Ian se frotta la nuque.

— Comment va ta frangine?

— Euh... bien. Elle a eu son diplôme avec un an d'avance. Elle va faire un troisième cycle à Wharton.

— Et ses copains continuent à te draguer?

Spencer en resta bouche bée. Avant qu'elle puisse répondre, l'entraîneur – Mlle Campbell – donna un coup de sifflet et fit signe à Ian de la rejoindre.

Dès que le jeune homme eut le dos tourné, Kirsten agrippa le bras de Spencer.

— Tu te l'es fait, pas vrai?

— La ferme!

Tout en trottinant vers le milieu du terrain, Ian jeta un coup d'œil à Spencer par-dessus son épaule. La jeune fille retint son souffle et se pencha pour examiner ses chaussures à crampons. Elle ne voulait pas qu'il la surprenne en train de le regarder.

Quand elle rentra chez elle après l'entraînement, tous les muscles de son corps lui faisaient mal, de ses épaules à ses orteils, en passant par ses fesses. Elle avait passé tout l'été à organiser des comités, à apprendre des listes de vocabulaire et à jouer les rôles principaux de trois pièces au Muesli, le théâtre municipal de Rosewood : Jean Brodie dans *Les Belles Années de Miss Brodie*, Emily dans *Une petite ville sans histoire* et Ophélie dans *Hamlet*. Du coup, elle n'avait pas eu le temps d'entretenir sa condition physique – et ça se sentait.

Elle n'aspirait qu'à monter dans sa chambre, se fourrer sous sa couette et oublier la montagne d'activités qui l'attendaient le lendemain : petit déjeuner avec le club de français, lecture des annonces du matin, cours dans cinq matières au niveau renforcé, auditions pour les prochaines pièces, réunion rapide du bureau des élèves dont elle était la vice-présidente et nouvel entraînement de hockey avec Ian.

Elle ouvrit la boîte aux lettres située à l'entrée de leur allée privée, espérant y trouver le résultat de ses PSAT, les examens préliminaires qui serviraient à déterminer si elle pouvait ou non prétendre à une bourse pour poursuivre ses études. Ses notes étaient censées arriver d'un jour à l'autre, et il lui semblait avoir bien réussi – mieux que n'importe quel autre examen, en fait. Malheureusement, il n'y avait qu'un tas de factures, des relevés de multiples comptes d'investissement de son père et une brochure adressée à Mlle Spencer J Hastings (J pour Jill) en provenance de l'université d'Appleboro située à Lancaster. Comme s'il y avait la moindre chance qu'elle aille s'enterrer au fin fond de la Pennsylvanie !

Spencer entra dans la maison, posa le courrier sur le

comptoir en marbre de la cuisine et se frotta l'épaule. Une idée lui vint. *Le Jacuzzi du jardin. Un petit bain relaxant. Ooooh, oui.*

Elle salua Rufus et Béatrice, les deux labradoodles de la famille, et leur jeta un King Kong en plastique dans le jardin pour qu'ils courent le chercher. Puis elle se traîna le long du chemin dallé vers la cabine qui jouxtait le Jacuzzi, afin de prendre une douche et d'enfiler son bikini. Arrivée à la porte, elle se ravisa. *Qu'est-ce que ça peut faire?* Elle était crevée, et il n'y avait personne à la maison. Sans compter que le Jacuzzi était entouré de rosiers. Elle l'entendait bouillonner doucement, comme s'il se réjouissait à l'idée de l'accueillir.

Sans plus de cérémonie, elle ôta sa tenue de hockey, ne gardant que son soutien-gorge, sa culotte et ses chaussettes hautes. Elle se pencha en avant et toucha le bout de ses pieds afin de détendre son dos, puis grimpa dans le Jacuzzi. Elle se sentait déjà beaucoup mieux.

— Oh!

Spencer pivota. Wren se tenait près des rosiers, nu à l'exception du boxer Polo le plus sexy que la jeune fille ait jamais vu.

— Oups! dit-il en se couvrant avec sa serviette de bain. Désolé.

— Vous ne deviez pas arriver avant demain! protesta Spencer en dépit de l'évidence.

— C'est vrai. Mais ta sœur et moi sommes passés chez Frou, expliqua Wren en grimaçant. (Frou était une boutique très chic qui vendait des taies d'oreillers à environ mille dollars pièce.) Elle avait encore une course à faire, alors elle m'a envoyé ici pour que je m'amuse tout seul.

Drôle d'expression. C'est peut-être anglais..., songea Spencer.

— Ah.

— Tu viens juste de rentrer?

— J'étais à mon entraînement de hockey sur gazon, expliqua la jeune fille en s'adossant au bord du Jacuzzi et en se relaxant. Le premier de l'année.

Elle baissa les yeux et regarda son corps dont l'eau bouillonnante brouillait les contours. Oh, mon Dieu, elle avait gardé ses chaussettes! Et elle portait une culotte de grand-mère à taille haute avec une brassière de sport Champion! Elle se maudit de n'avoir pas enfilé le bikini jaune Eres qu'elle venait d'acheter, puis réalisa combien c'était absurde.

— Bon, ben... Je voulais juste faire trempette, mais si tu préfères rester seule, je comprends. Je vais aller regarder la télé à l'intérieur.

Wren fit mine de partir, et Spencer éprouva un minuscule pincement au cœur.

— Non, non, dit-elle très vite. (Le jeune homme se figea.) Tu peux venir. Ça m'est égal.

Pendant qu'il lui tournait le dos, elle ôta prestement ses chaussettes et les jeta dans les buissons, où elles atterrirent avec un bruit mouillé.

— Si tu le dis, Spencer.

Elle adorait la façon dont il prononçait son prénom avec son accent anglais – Spen-*saah*.

Wren se glissa timidement dans le Jacuzzi. Spencer resta de son côté et replia ses jambes. Le jeune homme appuya sa tête contre le rebord en ciment et poussa un soupir de bien-être. Elle fit de même en essayant de ne pas penser aux crampes qu'elle était en train d'attraper dans cette position. Elle détendit prudemment une jambe, et son pied toucha le mollet musclé de Wren. Très vite, elle ramena sa jambe à elle.

— Désolée.

— Pas de problème, sourit Wren. Alors comme ça, tu fais du hockey sur gazon? Moi, j'étais dans l'équipe d'aviron d'Oxford.

— Vraiment? lança Spencer en essayant de ne pas trop roucouler.

Rien ne la captivait plus, lorsqu'elle allait à Philadelphie, que de regarder les équipes d'aviron masculines de Penn et de Temple s'entraîner sur la Schuylkill.

— Oui. J'adorais ça. Et toi, ça te plaît le hockey? interrogea Wren.

— Hum. Pas tellement.

Spencer défit sa queue-de-cheval et secoua la tête pour laisser retomber ses cheveux. Elle se demanda si Wren n'allait pas trouver ça ridicule. Elle s'était sans doute imaginé cette étincelle entre eux, sur le banc devant le Moshulu. D'un autre côté, il était venu la rejoindre dans le Jacuzzi...

— Alors, pourquoi y joues-tu? s'étonna le jeune homme.

— Parce que c'est un plus dans les dossiers de candidature pour la fac.

Il se redressa, faisant onduler la surface de l'eau.

— Ah bon?

— Ben... Oui.

Spencer se dandina et grimaça en sentant une crampe lui enfoncer un poignard dans l'epaule jusqu'au cou.

— Ça va? s'enquit Wren.

— Oui, ce n'est rien.

Une vague de désespoir submergea Spencer. C'était le jour de la rentrée, et elle se sentait déjà épuisée. Elle pensa à tous les devoirs qu'elle avait à faire, aux listes qu'elle devait dresser, au texte qu'il lui fallait mémoriser. Elle n'avait pas le temps de péter les plombs – et c'était bien la seule chose qui l'empêchait de le faire.

— Tu as mal à l'épaule? insista Wren.

— Je crois, répondit Spencer en essayant de faire rouler son articulation. Au hockey sur gazon, on passe tellement de temps penché ! Je me demande si je ne me suis pas froissée quelque chose ou...

— Je te parie que je peux arranger ça, lança Wren.

Spencer le fixa. Soudain, elle éprouvait une folle envie de lui passer ses doigts dans les cheveux.

— Ça va aller. Mais merci quand même.

— Je ne vais pas te mordre, tu sais, plaisanta Wren.

Spencer détestait cette expression.

— Je suis médecin, lui rappela le jeune homme. Je te parie que c'est ton deltoïde postérieur.

— Hum...

— Le muscle de ton épaule. (Il lui fit signe d'approcher.) Viens là. Sérieusement. Tu as juste besoin d'un petit massage.

Spencer essaya de ne pas se faire d'idées. Wren se conduisait en professionnel, voilà tout. Elle se laissa flotter jusqu'à lui, et le jeune homme posa ses mains sur son dos. Elle le sentit masser des deux pouces les muscles qui encadraient sa colonne vertébrale.

— Mmmh. (Elle ferma les yeux.) C'est trop bon.

— Tu as juste les bourses synoviales engorgées, dit Wren.

En entendant le mot « bourses », Spencer réprima une envie de glousser. Mais quand Wren glissa les mains sous sa brassière pour poursuivre son massage, elle déglutit avec difficulté. Elle s'exhorta à penser à des choses rebutantes : les poils de nez de son oncle Daniel, l'expression constipée de sa mère quand elle montait à cheval, la fois où sa chatte Minette avait déposé une taupe morte dans sa chambre. *Il est médecin*, se raisonna-t-elle. *Les médecins soignent les gens.*

— Tes pectoraux sont un peu crispés eux aussi, dit Wren en passant ses mains sous les bras de la jeune fille.

De nouveau, il glissa ses doigts à l'intérieur de sa

brassière, juste au-dessus de ses seins. Une bretelle tomba sur l'épaule de Spencer. Celle-ci retint son souffle, mais Wren ne s'interrompit pas.

Il est médecin, se répéta-t-elle. Puis elle réalisa : *Non, il est en première année de médecine. Il sera médecin un jour – dans une dizaine d'années.*

— Euh, où est Melissa ? demanda-t-elle à voix basse.

— À la supérette – le Wawa, je crois.

— Elle est chez Wawa ? (Spencer s'écarta brusquement de Wren en rajusta sa bretelle.) C'est à peine à un kilomètre ! Elle a dû aller chercher des clopes ou un truc dans le genre. Elle sera là d'une minute à l'autre !

— Je ne crois pas qu'elle fume, contra Wren en penchant la tête sur le côté et en la fixant d'un air interrogateur.

— Tu vois très bien ce que je veux dire !

Spencer se leva, saisit son drap de bain Ralph Lauren et entreprit de se sécher vigoureusement les cheveux. Elle avait si chaud... Il lui semblait qu'elle venait de s'ébouillanter jusqu'à la moelle. Sortant du Jacuzzi, elle courut vers la maison. Un verre d'eau ; elle avait besoin d'un verre d'eau bien fraîche.

— Spencer ! lança Wren dans son dos. Je ne voulais pas... J'essayais juste de t'aider.

Mais la jeune fille ne l'écoutait plus. Elle monta l'escalier quatre à quatre, fonça dans sa chambre et regarda autour d'elle. Ses affaires étaient toujours dans les cartons où elle les avait rangées en prévision de son déménagement dans la grange.

Soudain, ce désordre lui parut insupportable. Il fallait qu'elle classe ses bijoux par couleur. Le disque dur de son ordinateur était bourré de devoirs datant d'il y a deux ans qui, bien qu'ils lui aient valu des A, étaient nécessairement mauvais à ses yeux et ne méritaient donc pas mieux que d'être effacés. Elle examina ses livres. Un classement par sujet serait bien plus approprié qu'un classement par auteur, décida-t-elle. Elle les sortit des cartons et entreprit de les remettre sur ses étagères, en commençant par le sujet « Adultère » et le titre *La Lettre écarlate*.

Arrivée à « Utopies », elle ne sentait toujours aucune amélioration. Aussi alluma-t-elle son ordinateur et pressa-t-elle contre sa nuque sa souris sans fil au plastique délicieusement frais. Une petite enveloppe lui signala qu'elle avait reçu un e-mail. Sujet : « Vocabulaire SAT ». Curieuse, elle cliqua dessus pour l'ouvrir.

Spencer,

« Convoiter » – un mot facile. Convoiter quelque chose ou quelqu'un, c'est le désirer, vouloir s'en emparer. Généralement, l'objet de ce sentiment est une chose ou une personne hors d'atteinte. Mais ce problème n'est pas nouveau pour toi, pas vrai ?

— A

L'estomac de Spencer se noua. Elle regarda autour d'elle. Qui avait bien pu la voir… ?

Elle se leva et ouvrit la plus grande fenêtre de sa chambre, mais l'allée circulaire de la ferme était vide. Quelques voitures passaient dans la rue. Le jardinier des voisins taillait une haie près du portail avant de la maison. Rufus et Béatrice se poursuivaient en aboyant. Des oiseaux étaient perchés sur les câbles téléphoniques.

Puis quelque chose attira son regard derrière la fenêtre qui faisait face à la sienne – elle entr'aperçut une chevelure blonde. Les nouveaux propriétaires n'étaient-ils pas noirs ? Un frisson glacé parcourut son échine. Cette fenêtre était celle de l'ancienne chambre d'Alison.

8

OÙ SONT CES FOUTUES JEANNETTES QUAND ON A BESOIN D'ELLES?

Hanna s'enfonça plus profondément dans les coussins moelleux de son canapé et tenta de déboutonner le jean Paper Denim de Sean.

— Wouah…, protesta le jeune homme. On ne peut pas…

Avec un sourire mystérieux, Hanna posa un doigt sur ses lèvres. Puis elle se mit à l'embrasser dans le cou. Il sentait le déodorant Lever 2000 et, curieusement, le chocolat. Hanna adorait la façon dont ses cheveux rasés mettaient en valeur son visage anguleux. Elle était amoureuse de lui depuis la 6ᵉ, et chaque année, il s'embellissait un peu.

Tandis que les deux jeunes gens s'embrassaient, Ashley, la mère d'Hanna entra par la porte principale, en bavardant dans son minuscule téléphone portable LG à clapet.

Sean se rejeta en arrière.

— Elle va nous voir! chuchota-t-il en rentrant très vite son polo Lacoste bleu pâle dans son jean.

Hanna haussa les épaules. Mme Marin les salua d'un air

distrait et passa dans la pièce voisine. Elle accordait généralement plus d'attention à son BlackBerry qu'à sa propre fille. À cause de ses horaires de travail, Hanna et elle ne se voyaient pas beaucoup et parlaient encore moins. Elle se contentait de faire occasionnellement un point sur les résultats scolaires de sa fille, de lui dire dans quelles boutiques les soldes étaient les plus intéressantes et de lui rappeler qu'elle devait ranger sa chambre au cas où les grands pontes invités à son cocktail auraient besoin d'utiliser les toilettes de l'étage. Mais Hanna ne lui en voulait pas. Après tout, c'était le boulot de sa mère qui payait ses factures American Express – elle ne piquait pas systématiquement dans les magasins – et sa scolarité ruineuse à l'Externat de Rosewood.

— Il faut que j'y aille, murmura Sean.

— Tu devrais passer samedi, ronronna Hanna. Ma mère sera à l'institut de beauté toute la journée.

— Je te verrai à la soirée chez Noel vendredi, contra Sean. Tu sais que c'est déjà assez difficile.

Hanna poussa un soupir.

— Rien ne l'oblige à l'être, gémit-elle.

Son petit ami se pencha pour l'embrasser.

— À vendredi.

Sean parti, Hanna enfouit son visage dans les coussins du canapé. Pour elle, sortir avec Sean, c'était toujours comme un rêve. À l'époque où elle était boulotte et mal fagotée, Hanna adorait sa haute silhouette athlétique, la gentillesse avec laquelle il traitait les profs et les élèves moins cool que lui, et son style à tomber – pas celui d'un daltonien je-m'en-foutiste. Même après avoir perdu ses derniers kilos rebelles et découvert les produits défrisants, elle n'avait jamais cessé de s'intéresser à lui.

L'année précédente, pendant une heure de permanence, elle avait glissé à James Freed que Sean lui plaisait bien.

Trois heures plus tard, Colleen Rink lui avait rapporté que le jeune homme l'appellerait sur son portable le soir même, après l'entraînement de foot. Encore un de ces moments qu'Hanna regrettait de ne pouvoir partager avec Ali.

Sean et elle sortaient ensemble depuis sept mois, et elle était plus amoureuse de lui que jamais. Elle ne le lui avait pas encore avoué – après tout, elle gardait ce secret depuis des années –, mais, à présent, elle était à peu près sûre qu'il partageait ses sentiments. Et quel meilleur moyen d'exprimer son amour à quelqu'un que le sexe ?

Voilà pourquoi ce vœu de chasteté n'avait pas de sens. Les parents de Sean n'étaient pas exagérément croyants, et ça allait à l'encontre de toutes les certitudes d'Hanna au sujet des garçons. Avec ses cheveux brun-roux, ses courbes voluptueuses et son teint éclatant – elle n'avait jamais eu le moindre bouton d'acné, jamais –, la jeune fille savait qu'elle était à tomber par terre. Comment pouvait-on ne pas avoir envie de coucher avec elle ? Parfois, elle se demandait si Sean n'était pas gay. Après tout, ça expliquerait son bon goût en matière de fringues.

Elle appela son pinscher nain, Dot, et tapota le canapé pour l'inviter à monter près d'elle.

— Je t'ai manqué aujourd'hui ? couina-t-elle comme Dot lui léchait la main.

Elle avait tenu un siège à l'administration pour qu'on l'autorise à amener Dot au lycée dans son grand sac Prada, c'était monnaie courante à Beverly Hills –, mais le proviseur avait refusé. Alors, pour ne pas que Dot s'ennuie trop en l'attendant, elle lui avait acheté un petit lit Gucci, le plus douillet qui existe, et elle lui laissait la télé allumée toute la journée.

Sa mère entra dans le salon. Elle portait toujours son tailleur en tweed et ses escarpins marron à petits talons.

— Il y a des sushis pour dîner, annonça-t-elle.

Hanna leva les yeux.

— Des *toro*?

— Aucune idée. J'ai pris un assortiment.

La jeune fille alla dans la cuisine. L'ordinateur portable de sa mère était posé sur le comptoir, près de son LG qui se mit soudain à vibrer.

— Quoi encore? aboya Mme Marin dans son téléphone.

Les petites griffes de Dot cliquetèrent sur le carrelage derrière Hanna. Fouillant dans le sac du restaurant japonais, la jeune fille sélectionna un sushi de thon à queue jaune et un autre d'anguille, plus un petit bol de soupe *miso*.

— J'ai parlé au client ce matin, et il était très content! protesta sa mère.

Hanna trempa son sushi de thon dans de la sauce soja tout en feuilletant distraitement un catalogue J. Crew. Sa mère était directrice adjointe de l'agence de publicité McManus & Tate située à Philadelphie, et elle ambitionnait d'en devenir la première femme directrice. En plus de sa réussite professionnelle, elle était ce que la plupart des lycéens auraient considéré comme un fantasme de femme mûre avec ses longs cheveux d'un roux doré, son teint de pêche et son corps incroyablement souple grâce à ses séances quotidiennes de yoga vinyasa.

Hanna avait beau savoir que sa mère n'était pas parfaite, elle ne comprenait toujours pas pourquoi ses parents avaient divorcé quatre ans plus tôt, ni pourquoi son père s'était si vite remis en ménage avec Isabel, une infirmière d'Annapolis au physique des plus banals. Il ne lui semblait pas qu'il ait gagné au change.

Isabel avait une fille adolescente, Kate. M. Marin avait décrété qu'Hanna et elle s'entendraient à merveille. Quelques mois après le divorce, il avait invité sa fille à Annapolis pour le week-end. Nerveuse à l'idée de rencontrer sa quasi-demi-sœur, Hanna avait supplié Ali de l'accompagner.

— Ne t'inquiète pas, Han, l'avait encouragée Ali. Qui que soit cette Kate, elle ne nous arrivera pas à la cheville!

Comme son amie observait un silence dubitatif, elle lui avait répété sa phrase habituelle :

— Bonjour, je suis Ali et je suis fabuleuse!

À l'époque, Hanna avait du mal à imaginer ce que ça devait faire d'être aussi sûre de soi. La présence d'Ali lui servait de filet de sécurité. Elle avait toujours eu l'impression que son père était parti pour s'éloigner d'elle. Mais le fait d'avoir Ali comme amie prouvait qu'elle n'était pas si nulle que ça.

La rencontre avait été désastreuse. Kate était la plus jolie fille de la terre, et le père d'Hanna l'avait humiliée en la traitant de petite cochonne devant elle. Il s'était très vite ressaisi et avait prétendu que ça n'était qu'une plaisanterie, mais Hanna ne l'avait jamais revu depuis – et ce soir-là, pour la première fois, elle s'était fait vomir.

Comme elle détestait penser au passé, elle ne le faisait que très rarement. Elle avait atteint un âge où elle pouvait rencontrer les copains de sa mère sans se demander automatiquement si l'un d'eux allait devenir son nouveau papa – et même les mater avec de toutes autres idées en tête. Et puis, son père l'aurait-il laissée rentrer à deux heures du matin et boire du vin, comme sa mère? Elle en doutait fort.

Mme Marin referma son téléphone à clapet et braqua son regard vert émeraude sur Hanna.

— Ce sont les chaussures que tu avais mises pour la rentrée?

Hanna cessa de mâcher.

— Euh... oui.

Sa mère hocha la tête.

— On t'en a fait des compliments?

Hanna tourna la cheville en dedans pour examiner ses sandales violettes à semelle compensée. Redoutant de devoir affronter les vigiles de chez Saks, elle les avait payées comme une cliente ordinaire.

— Pas mal, oui.

— Ça t'ennuie que je te les emprunte?

— Euh... non. Si tu veux.

Le téléphone de Mme Marin sonna de nouveau. Elle se jeta dessus pour décrocher.

— Carson? Oui. J'ai cherché à vous joindre toute la soirée. Qu'est-ce qui se passe encore?

Hanna avança la lèvre inférieure et souffla pour écarter la frange qui lui tombait devant les yeux. Puis elle donna un minuscule morceau d'anguille à Dot. Au moment où la chienne le recrachait sur le carrelage, quelqu'un sonna à la porte d'entrée.

Mme Marin ne réagit pas.

— Ils en ont besoin ce soir, dit-elle à son interlocuteur. C'est votre projet. Faut-il que je vienne vous tenir la main?

Nouveau coup de sonnette. Dot se mit à aboyer, et Mme Marin se leva pour aller ouvrir.

— Probablement les jeannettes.

Trois soirs d'affilée à l'heure du dîner, les jeannettes étaient venues leur vendre des biscuits. Elles étaient particulièrement tenaces dans le quartier.

Quelques secondes plus tard, la mère d'Hanna revint dans la cuisine flanquée d'un jeune officier de police brun aux yeux verts. Un badge doré sur sa poche de poitrine indiquait qu'il s'appelait Wilden.

— Ce monsieur aimerait te parler.

Hanna se désigna de l'index.

— Moi? s'étonna-t-elle.

— Tu es bien Hanna Marin? interrogea Wilden.

Le talkie-walkie accroché à sa ceinture émit un crépitement.

Soudain, Hanna réalisa à qui elle avait affaire. Darren Wilden! Il était en terminale à l'Externat de Rosewood quand elle était en 5e. À moins que sa mémoire lui joue des tours, il avait couché avec toute l'équipe de plongeon féminine et avait failli se faire renvoyer pour avoir piqué la moto du proviseur – une Ducati vintage. Pourtant, il n'y avait aucun doute, c'était bien lui. Des yeux aussi verts, difficile de les oublier, même après trois ans. *Il doit être strip-teaseur. Mona a dû me l'envoyer pour rire*, se dit Hanna, pleine d'espoir.

— Que se passe-t-il? interrogea Mme Marin en jetant un regard ennuyé à son téléphone. Pour quelle raison nous dérangez-vous en plein dîner?

— Nous avons reçu un appel de chez Tiffany, expliqua Wilden. Ils ont une cassette de votre fille en train de voler différents articles dans leur magasin. Les caméras du centre commercial ont permis de la suivre jusqu'à sa voiture et de l'identifier à partir de sa plaque minéralogique.

Hanna se pinça discrètement la paume avec les ongles ce qu'elle faisait toujours quand la situation échappait à son contrôle.

— Ma fille ne ferait jamais une chose pareille! aboya Mme Marin. Pas vrai, Hanna?

La jeune fille ouvrit la bouche pour répondre, mais aucun son n'en sortit. Son cœur battait si fort qu'elle avait l'impression que ses côtes allaient exploser sous la pression.

— Écoutez. (Wilden croisa les bras sur sa poitrine. Hanna remarqua que le flingue passé à sa ceinture avait l'air d'un jouet.) Il faut juste que vous m'accompagniez au commissariat. Ce n'est peut-être rien.

— Je n'en doute pas, répliqua froidement Mme Marin.

(Elle sortit de son sac Fendi son portefeuille assorti.) Combien vous faudrait-il pour nous laisser dîner en paix?

— Madame, dit Wilden sur un ton exaspéré. Vous devez m'accompagner, d'accord? Ça ne prendra pas toute la nuit, je vous le promets.

Et il afficha un sourire supersexy, celui-là même qui avait dû lui éviter de se faite virer de l'Externat de Rosewood dans le temps.

Mme Marin et lui se fixèrent un moment.

— Bon, capitula enfin la mère d'Hanna. D'accord. Nous venons.

Wilden se tourna vers Hanna.

— Il va falloir que je te passe les menottes.

— Les menottes? hoqueta Hanna.

Ça devenait de plus en plus surréaliste. On aurait dit les jumelles des voisins quand elles jouaient au gendarme et au voleur – sauf qu'elles avaient six ans! Pourtant, Wilden sortit bel et bien des menottes qu'il referma doucement autour des poignets d'Hanna. La jeune fille espéra qu'il n'avait pas vu combien ses mains tremblaient.

Elle espéra aussi qu'il allait l'attacher à une chaise, mettre ce vieux tube des années 70, *Hot Stuff,* et commencer à se déshabiller. Malheureusement, il n'en fut rien.

Le commissariat sentait le café brûlé et le vieux bois, car, comme la plupart des bâtiments administratifs de Rosewood, il était situé dans l'ancien manoir d'un baron du rail. Des flics s'agitaient autour d'Hanna, répondant au téléphone, remplissant des formulaires et glissant d'un bureau à l'autre sur leur chaise à roulettes. La jeune fille s'attendait plus ou moins à retrouver Mona, le châle Dior de sa mère jeté sur ses avant-bras pour dissimuler ses mains menottées.

Mais le banc était vide. Apparemment, son amie ne s'était pas fait pincer, elle.

Mme Marin se tenait très droite à côté de sa fille. Hanna appréhendait sa réaction. D'habitude, elle était plutôt cool – mais elle n'avait encore jamais eu à se rendre au commissariat parce que sa fille était accusée de vol.

Discrètement, Mme Marin se pencha vers Hanna.

— Qu'est-ce que tu as piqué? chuchota-t-elle.

Hanna sursauta.

— Hein?

— Ce bracelet que tu portes?

La jeune fille baissa les yeux. *Oh, de mieux en mieux...*, gémit-elle intérieurement. Elle avait oublié de l'enlever; la breloque pendait à son poignet à la vue de tous. Elle le fit remonter sous sa manche et tâta ses lobes d'oreilles. Oui, elle portait aussi les boucles... Quelle idiote!

— Donne-le-moi, ordonna sa mère à voix basse.

— Hein? répéta Hanna, stupéfaite.

Mme Marin tendit la main.

— Donne-le-moi. Je m'occupe de tout.

À contrecœur, Hanna laissa sa mère défaire le bracelet. Puis elle ôta les boucles d'oreilles et les lui remit aussi. Mme Marin ne cilla même pas. Elle laissa juste tomber les bijoux dans son sac et croisa les mains sur le fermoir métallique.

La vendeuse blonde de chez Tiffany, celle qui avait montré le bracelet à Hanna, entra dans la pièce. Dès qu'elle aperçut la jeune fille menottée, misérablement assise sur le banc, elle acquiesça.

— Oui, c'est bien elle.

Darren Wilden jeta un regard sévère à Hanna, et Mme Marin se leva.

— Je crois qu'il y a méprise. (Elle se dirigea vers le bureau du jeune homme.) Je vous ai mal compris tout à l'heure. J'étais avec Hanna ce jour-là. Nous avons acheté ces bijoux. J'ai le ticket de caisse à la maison.

La vendeuse de chez Tiffany plissa les yeux.

— Insinuez-vous que je mens ?

— Non, répliqua gentiment Mme Marin, je pense simplement que vous vous trompez.

Qu'est-elle en train de faire ? se demanda Hanna, mal à l'aise et pétrie de culpabilité.

— Comment expliquez-vous les enregistrements des caméras de surveillance ? interrogea Wilden.

Mme Marin hésita. Hanna vit frémir un muscle de son cou. Puis, avant qu'elle puisse réagir, sa mère plongea la main dans son sac et en sortit son précieux butin.

— C'était ma faute, pas celle d'Hanna, affirma-t-elle en fixant Wilden dans les yeux. Nous nous sommes disputées à propos de ces bijoux. Je ne voulais pas qu'elle les achète. C'est moi qui l'ai poussée à faire ça. Elle ne recommencera plus. J'y veillerai.

Hanna en resta bouche bée. Sa mère et elle n'avait jamais discuté de Tiffany une seule fois, et encore moins de ce qu'elle pouvait acheter ou non.

Wilden secoua la tête.

— Madame, je crains que votre fille ne soit condamnée à faire des travaux d'intérêt général. C'est la peine habituelle pour ce genre de délit.

Mme Marin battit innocemment des cils.

— Vous ne pourriez pas fermer les yeux, juste pour cette fois ?

Wilden la considéra un long moment, et Hanna vit un des coins de sa bouche se relever imperceptiblement.

— Asseyez-vous, finit-il par dire. Je vais voir ce que je peux faire.

Hanna regardait n'importe où, excepté dans la direction

de sa mère. Wilden avait un Slinky métallique et une figurine du chef des Simpson, Wiggum, sur son bureau. Il se pencha en avant et se lécha l'index pour tourner les pages du dossier qu'il remplissait. Hanna frémit. De quel genre de papiers s'agissait-il? Les journaux locaux ne rapportaient-ils pas tous les délits? La honte. La honte ultime.

Elle balança nerveusement son pied et elle ressentit soudain une envie irrépressible de bonbons à la menthe. Ou de noix de cajou. Même les lamelles de bœuf séché posées sur le bureau de Wilden feraient l'affaire. Il fallait qu'elle grignote quelque chose.

Elle voyait ça d'ici. Tout le monde allait découvrir ce qu'elle avait fait. Du jour au lendemain, son copain et tous ses amis lui tourneraient le dos. À partir de ce jour-là, ce serait la longue descente aux enfers. Elle redeviendrait Hanna, la ringarde de 5ᵉ. Un matin, elle se réveillerait avec des cheveux châtain terne frisés. Ses dents se remettraient de travers et elle devrait de nouveau porter un appareil dentaire. Elle ne rentrerait plus dans aucun de ses jeans. Elle resterait seule et malheureuse jusqu'à la fin de ses jours.

— J'ai de la crème hydratante si ça t'irrite les poignets, proposa Mme Marin en désignant ses menottes et en farfouillant dans son sac.

— Non, ça va, répondit Hanna, ainsi ramenée à la réalité.

Avec un soupir, elle sortit son BlackBerry. Ses menottes la gênaient, mais elle voulait convaincre Sean de venir chez elle le samedi. Elle avait *besoin* qu'il vienne.

Elle fixait l'écran quand une petite enveloppe annonça l'arrivée d'un nouveau message. Elle l'ouvrit.

Salut Hanna,

La bouffe des cantines de prison, ça fait grossir. Tu sais ce que Sean va dire? Pas moi!

— A

Elle fut si surprise qu'elle se leva d'un bond, pensant que quelqu'un dans la pièce l'observait. Mais il n'y avait personne à part sa mère et les policiers. Elle ferma les yeux, cherchant qui pouvait bien avoir vu la voiture de patrouille devant chez elle.

Wilden leva le nez.

— Tout va bien?

— Hum. Oui.

Hanna se rassit lentement. *Pas moi?* Elle consulta l'adresse d'origine du message, mais il ne s'agissait que d'une suite de chiffres et de lettres incompréhensible.

— Hanna, murmura Mme Marin au bout d'un moment. Personne ne doit être au courant de cet incident.

Hanna cligna des yeux.

— Oui. Je suis bien d'accord.

— Tant mieux.

La jeune fille déglutit. Sauf que… quelqu'un savait déjà.

9

PAS VOTRE TYPIQUE ENTRETIEN PROF-ÉLÈVE

Byron Montgomery passa énergiquement la main dans ses cheveux noirs en bataille et tendit le bras par la fenêtre ouverte de sa Subaru pour signaler qu'il allait tourner à gauche. Le clignotant ne fonctionnait plus depuis la veille au soir, aussi, en ce mercredi matin, le père d'Aria et de Mike conduisait-il ses enfants au lycée avant d'emmener la voiture chez le garagiste.

— Vous êtes contents d'être de retour en Amérique? demanda-t-il.

Mike, qui était assis près de sa sœur sur la banquette arrière, lui lança un petit sourire en coin.

— Ouais, c'est génial, répondit il avant de se remettre à appuyer frénétiquement sur les boutons minuscules de sa PSP. Celle-ci émit un bruit de pet et Mike brandit un poing victorieux.

Le sourire aux lèvres, M. Montgomery traversa le pont de pierre en agitant la main pour saluer une voisine.

— Tant mieux. Et pourquoi tu trouves ça génial ?

— Parce qu'ici, on joue au lacrosse, rétorqua Mike sans quitter sa console des yeux. Et les filles sont beaucoup mieux roulées. Et puis il y a un Hooters.

Aria éclata de rire. Comme si son petit frère de quinze ans avait déjà mis les pieds dans un des restaurants de cette chaîne célèbre pour ses serveuses à la poitrine opulente. À moins que... Oh, mon Dieu, il n'avait quand même pas... ?

Frissonnant malgré son châle en alpaga vert, la jeune fille tourna la tête vers la vitre et observa l'épais brouillard qui recouvrait Rosewood. Une femme vêtue d'un blouson à capuche rouge, sur lequel on pouvait lire : « ATTAQUANTE DANS L'ÉQUIPE DES MAMANS », tentait d'empêcher son berger allemand de pourchasser un écureuil de l'autre côté de la rue. À l'angle, deux blondes flanquées de landaus dernier cri bavardaient avec exaltation.

Si elle devait définir le cours d'anglais de la veille, elle dirait sans aucun doute « épouvantable ». Après qu'Ezra avait balbutié : « Merde alors... », toute la classe s'était tournée vers Aria et l'avait dévisagée. Hanna, qui était assise juste devant elle, avait chuchoté pas si bas que ça : « Tu n'aurais pas couché avec le prof, par hasard ? » L'espace d'une demi-seconde, Aria avait envisagé qu'Hanna soit l'auteur du texto – après tout, son ancienne amie était l'une des rares personnes qui connaissait l'existence et la fonction de Pétunia. Mais en quoi cela pouvait-il bien la concerner ?

Ezra... Euh, M. Fitz avait très vite calmé son auditoire et inventé une excuse minable pour le juron qu'il venait de lâcher : « Je croyais qu'une abeille venait de me rentrer dans le pantalon et qu'elle s'apprêtait à me piquer. »

Puis il s'était mis à disserter sur le programme de l'année. Aria n'avait pas réussi à se concentrer. L'abeille qui s'était introduite dans le pantalon du jeune homme, c'était elle.

Elle ne parvenait pas à détacher son regard de ses yeux bleu glacier et de sa bouche si sensuelle. Quand il lui jeta un bref coup d'œil, son cœur fit deux sauts périlleux et demi depuis le grand plongeoir et atterrit dans son estomac.

Ezra était fait pour elle, et elle était faite pour lui – pas de doute là-dessus. Qu'importe si c'était son prof. Ils trouveraient bien un moyen de contourner cet obstacle.

M. Montgomery franchit le portail de l'Externat de Rosewood. Au loin, Aria aperçut une Coccinelle vintage bleu poudré garée sur le parking du personnel. Elle l'avait déjà vue devant le Snookers – elle appartenait à Ezra. Elle consulta sa montre. Encore un quart d'heure avant la sonnerie.

Mike jaillit hors de la voiture. Aria ouvrit la portière à son tour, mais son père la retint.

— Attends une seconde.

— Mais je dois...

Elle jeta un coup d'œil à la Coccinelle d'Ezra.

— Je n'en ai pas pour longtemps.

Byron Montgomery baissa le volume de la radio. Résignée, Aria se laissa retomber dans son siège.

— Tu as l'air un peu... (Son père hésita.) Tout va bien ?

La jeune fille haussa les épaules.

— Pourquoi ça n'irait pas ?

M. Montgomery soupira.

— Je ne sais pas. Le retour au pays est peut-être difficile pour toi. Et puis, ça fait un petit moment qu'on n'a pas parlé de... Tu sais.

Aria se mit à tripoter la fermeture Éclair de son blouson.

— Il n'y a pas grand-chose à dire.

Son père saisit une cigarette qu'il avait roulée avant leur départ et la cala au coin de ses lèvres.

— J'imagine que ça a dû être très difficile pour toi de garder le secret. Mais je t'aime. Tu le sais, hein ?

Aria jeta un nouveau coup d'œil vers le parking du personnel.

— Oui, je le sais. Il faut que j'y aille. On se voit à quinze heures.

Avant que son père n'ait eu le temps de répondre, elle sortit de la voiture, le sang lui battait dans les tempes. Comment pouvait-elle rester Aria l'Islandaise, celle qui avait laissé son passé derrière elle, si l'un de ses pires souvenirs de Rosewood remontait constamment à la surface ?

C'était arrivé pendant le mois de mai de sa 5e. L'Externat avait lâché les élèves plus tôt, pour cause de réunion des professeurs. Aria et Ali s'étaient dirigées vers Sparrow, le disquaire situé sur le campus de la fac de Hollis, afin d'y chercher de nouveaux CD. Comme elles coupaient par une petite ruelle, Aria avait remarqué la vieille Honda Civic marron de son père au fond d'un parking vide. Les deux filles s'étaient approchées pour laisser un mot sur le pare-brise. Et elles s'étaient rendu compte que la voiture n'était pas vide. À l'intérieur, une nana de vingt ans à tout casser était en train d'embrasser Byron dans le cou.

Le père d'Aria avait relevé la tête et vu sa fille. Celle-ci s'était enfuie en courant avant qu'il ne parvienne à la retenir. Ali l'avait suivie jusque chez elle, mais l'avait quittée quand Aria lui avait dit vouloir rester seule.

Plus tard dans la soirée, Byron était monté dans la chambre de sa fille pour s'expliquer. « Ce n'est pas ce que tu crois », avait-il prétendu. Mais Aria n'était pas idiote. Tous les ans, son père invitait ses élèves chez eux pour faire connaissance autour d'un cocktail. Elle avait déjà vu la pétasse de la voiture. Elle se souvenait même de son prénom : Meredith, parce qu'après avoir bu un verre de trop, elle avait écrit son prénom sur la porte du frigo avec des lettres-aimants. Au moment de partir, au lieu de serrer la main de Byron comme les autres élèves, elle l'avait embrassé un peu trop longuement sur la joue.

Le père d'Aria l'avait suppliée de ne rien dire à sa mère. Il lui avait promis que ça ne se reproduirait pas. L'adolescente avait décidé de le croire et avait tenu sa langue. Son père ne lui avait jamais avoué, mais elle soupçonnait que c'était à cause de Meredith qu'il avait pris un congé sabbatique et accepté le boulot qu'on lui offrait en Islande.

Tu t'étais juré de ne plus y penser, se blâma-t-elle en jetant un coup d'œil par-dessus son épaule. Le bras tendu par sa fenêtre ouverte, M. Montgomery ressortait du parking des élèves.

Aria entra dans l'aile administrative. Le bureau d'Ezra se trouvait au bout d'un étroit couloir, près d'une fenêtre à côté de laquelle se trouvait une petite banquette. Elle s'immobilisa sur le seuil et regarda le jeune homme taper quelque chose sur le clavier de son ordinateur.

Finalement, elle frappa à la porte entrouverte. Les yeux bleus d'Ezra s'écarquillèrent lorsqu'il la vit. Il était adorable avec sa chemise blanche, son blazer bleu orné du blason de Rosewood, son pantalon en toile kaki et ses mocassins noirs un peu usés. Les coins de sa bouche se relevèrent en une ébauche de sourire.

— Salut, lança-t-il.

Aria resta plantée sur le seuil.

— Je peux te parler? demanda-t-elle d'une voix légèrement étranglée.

Ezra hésita et repoussa une mèche qui lui tombait devant les yeux. Aria remarqua qu'il portait un pansement Snoopy autour de son auriculaire gauche.

— Bien sûr, lui répondit-il doucement. Entre.

La jeune fille s'exécuta et referma la porte derrière elle.

À l'exception d'un gros bureau en bois, de deux chaises pliantes et d'un ordinateur, la pièce était vide. Elle s'assit sur la chaise libre.

— Ben, euh... Salut.

— Re-salut, poursuivit Ezra en esquissant un vague sourire.

Baissant les yeux, il porta un mug de café à ses lèvres et en but une gorgée.

— Écoute..., commença-t-il.

— À propos d'hier..., dit Aria au même moment.

Tous deux gloussèrent.

— Les dames d'abord, plaisanta Ezra.

Aria se gratta la nuque. Elle avait attaché ses cheveux noirs et raides en queue-de-cheval.

— Je voulais te parler de... euh... de nous.

Ezra acquiesça mais garda le silence. Aria s'agita sur sa chaise.

— J'imagine que tu dois trouver ça assez inconfortable que je sois ton élève après... Tu sais, après ce qui s'est passé... chez Snookers. Mais si ça ne te pose pas de problème, ça ne m'en pose pas non plus.

Ezra entoura son mug des deux mains. Aria écouta l'horloge murale égrener les secondes.

— Je... je ne crois pas que ce soit une bonne idée, soupira enfin le jeune homme. Tu m'as dit que tu étais plus vieille.

Aria éclata de rire.

— On n'a jamais parlé de mon âge ! (Elle baissa les yeux.) C'est toi qui as supposé que j'étais plus âgée.

— Oui, mais tu aurais dû me détromper, répliqua Ezra.

— Tout le monde ment sur son âge, murmura Aria.

Ezra passa les mains dans ses cheveux.

— Mais tu es... (Il secoua la tête.) Écoute, je te trouve

super, Aria. Vraiment. Quand on s'est rencontrés dans ce bar, je me suis dit : « Wouah! qui est cette fille? Je n'ai encore jamais rencontré personne comme elle. »

Aria baissa les yeux, à la fois ravie et pleine d'appréhension.

Ezra tendit la main par-dessus son bureau et toucha brièvement celle de la jeune fille. Sa main était chaude et sèche, son contact avait quelque chose d'apaisant.

— Mais ce n'est pas possible, tu comprends? Parce que je suis ton prof, et que les profs ne sont pas censés sortir avec leurs élèves. Tu ne voudrais pas que j'aie des ennuis à cause de toi, n'est-ce pas?

— Personne n'en saurait rien, protesta faiblement Aria.

Elle songea au texto reçu la veille. Il était fort possible que quelqu'un sache déjà…

Ezra mit un long moment à répondre. Aria eut l'impression qu'il pesait le pour et le contre. Elle le fixa, pleine d'espoir.

— Je suis désolé, marmonna enfin le jeune homme. Il vaut mieux que tu t'en ailles.

Aria se leva, les joues brûlantes.

— Très bien.

Elle agrippa le dossier de la chaise. Elle avait l'impression que des charbons ardents lui brûlaient le ventre.

— Je te verrai en classe, chuchota Ezra.

Aria referma doucement la porte du bureau. Le couloir était rempli de profs qui se rendaient à leur premier cours de la journée. Elle décida de regagner son casier en passant par l'extérieur – elle avait besoin de prendre l'air.

Dehors, elle entendit un rire familier. Elle se figea. Quand cesserait-elle de croire qu'elle entendait Alison partout et tout le temps? Au lieu de suivre le chemin de pierre,

109

elle coupa à travers la pelouse. Le brouillard matinal était si dense qu'elle voyait à peine ses jambes. L'herbe humide engloutissait ses empreintes aussi vite qu'elle les laissait.

Tant mieux. Ça semble le moment opportun pour disparaître complètement, songea-t-elle.

10

LES FILLES CÉLIBATAIRES
SE MARRENT BEAUCOUP PLUS

Cet après-midi-là, Emily se tenait au milieu du parking des élèves, perdue dans ses pensées, lorsque quelqu'un lui plaqua les mains sur les yeux. Surprise, elle sursauta.

— Hé, pas de panique ! Ce n'est que moi !

Emily se retourna en poussant un soupir de soulagement. Ce n'était que Maya. Mais depuis qu'elle avait reçu ce petit mot bizarre la veille, elle devenait complètement parano. Elle ne parvenait plus à se concentrer sur quoi que ce soit. Elle s'apprêtait à déverrouiller la Volvo de sa mère – Mme Fields laissait ses filles aller au lycée en voiture à condition qu'elles *soient prudentes sur la route et appellent en arrivant* – pour prendre le sac de gym qu'elle gardait dans le coffre.

— Désolée, bredouilla-t-elle. Je croyais que... Peu importe.

— Tu m'as manqué aujourd'hui, sourit Maya.

— Toi aussi, dit Emily en lui rendant son sourire.

Le matin, elle avait appelé Maya pour lui proposer de

passer la prendre, mais Mme St-Germain lui avait répondu que sa fille était déjà partie.

— Alors, comment vas-tu?

Maya fit la moue. Elle avait relevé et discipliné sa chevelure folle avec d'adorables petites barrettes roses nacrées en forme de papillon.

— Ça pourrait aller mieux.

Emily pencha la tête sur le côté.

— Ah bon?

Maya glissa un de ses pieds hors de ses tongs Oakley. Son deuxième orteil était plus long que le premier – comme ceux d'Emily.

— Je me sentirais bien mieux si tu m'accompagnais quelque part. Tout de suite.

— Mais j'ai piscine, protesta Emily avec, de nouveau, cette désagréable impression d'entendre Bourriquet.

Maya lui prit la main et balança leurs bras.

— Et si je te disais qu'on va nager quand même?

Emily plissa les yeux.

— Où ça?

— Tu dois me faire confiance.

Bien qu'elle ait été proche d'Hanna, de Spencer et d'Aria, tous les souvenirs préférés d'Emily se rapportaient à des moments qu'elle avait passés seule avec Ali. Par exemple, lorsqu'elles enfilaient des pantalons de ski rembourrés pour descendre Bayberry Hill en luge, qu'elles décrivaient leur petit ami idéal ou pleuraient à propos de l'affaire Jenna avant de se consoler mutuellement. Quand elles étaient seules, Ali se montrait sous un jour moins parfait qui, curieusement, la rendait encore plus parfaite, et Emily sentait alors qu'elle pouvait vraiment être elle-même. Il lui semblait qu'elle n'avait pas été elle-même depuis des mois, voire des années – mais qu'elle pourrait le redevenir avec Maya. Avoir une meilleure amie lui manquait.

En ce moment même, Ben et les autres garçons devaient être en train de se changer, d'enfiler leurs maillots en faisant claquer leur serviette de bain sur les fesses de leurs voisins de vestiaire. Lauren, leur entraîneur, devait écrire le programme du jour sur le tableau Velleda avant de distribuer le matériel. Et les filles de l'équipe devaient se plaindre parce qu'elles avaient toutes leurs règles en même temps. Oserait-elle sécher l'entraînement dès le deuxième jour?

Emily referma le poing sur son porte-clés en forme de poisson.

— Je pourrais dire à Carolyn que j'ai dû aider quelqu'un en espagnol, murmura-t-elle.

Elle savait que sa sœur n'y croirait pas – mais elle ne la dénoncerait probablement pas à leurs parents.

Promenant un regard nerveux à la ronde pour voir si personne ne l'observait, Emily ouvrit la portière de la Volvo.

— D'accord, on y va.

— Mon frère et moi, on a découvert cet endroit ce week-end, expliqua Maya tandis qu'Emily se garait sur le parking en gravier.

Emily descendit de voiture et s'étira.

— Je l'avais complètement oublié.

Les deux filles se trouvaient sur le chemin de Marwyn, qui longeait une rivière assez profonde sur environ huit kilomètres. Dans le temps, Emily et ses amies venaient souvent ici à vélo. Ali et Spencer faisaient la course et finissaient généralement *ex æquo*. Puis toute la petite bande s'arrêtait au snack-bar près de la zone de baignade pour acheter des biscuits et du Coca light.

Tandis que les deux filles gravissaient une pente boueuse, Maya saisit le bras d'Emily.

— Oh, j'ai oublié de te dire! Ta mère est passée à la maison hier pendant qu'on était au lycée. Elle nous a apporté des brownies.

— Vraiment? s'étonna Emily.

Elle se demanda pourquoi sa mère ne lui avait rien dit le soir au dîner.

— Ils étaient superbons. Mon frère et moi, on n'en a pas laissé une miette!

Elles atteignirent le sentier de terre battue. Les branches des chênes formaient une voûte au-dessus de leur tête. Une odeur de bois, de sève et de mousse planait dans l'air, et la température semblait avoir baissé de cinq degrés d'un coup.

— On n'y est pas encore.

Maya prit la main d'Emily et l'entraîna vers un petit pont de pierre. Dix mètres plus loin, le lit de la rivière s'élargissait. Le soleil de cette fin d'après-midi faisait étinceler la surface paisible de l'eau.

Maya se déshabilla, ne gardant que sa culotte rose pâle et son soutien-gorge assorti. Elle laissa tomber ses autres vêtements en tas, tira la langue à Emily et sauta du haut du pont.

— Attends!

Emily se précipita vers le bord. Maya connaissait-elle la profondeur de l'eau à cet endroit? Elle compta dans sa tête. Deux longues secondes plus tard, elle entendit un gros *splatch!*

La tête de Maya creva la surface de l'eau.

— Je t'avais dit qu'on nagerait! Viens!

Emily jeta un coup d'œil aux vêtements de son amie. Elle détestait se déshabiller en public – y compris devant ses coéquipières qui la voyaient pourtant faire tous les jours.

Lentement, elle ôta sa jupe d'uniforme plissée, serrant ses jambes l'une contre l'autre pour dissimuler ses cuisses musclées. Elle déboutonna et enleva son chemisier, mais décida de garder le débardeur qu'elle portait en dessous. Puis elle jeta un coup d'œil en bas et sauta.

L'instant d'après, l'eau enveloppa son corps. Elle était agréablement chaude et boueuse – pas froide et limpide comme celle de la piscine. Aussitôt, l'eau gonfla le soutien-gorge intégré au débardeur d'Emily.

— On se croirait au sauna, gloussa Maya.

— C'est vrai.

Emily rejoignit son amie à l'endroit où elles avaient pied. Elle réalisa alors que le soutien-gorge de Maya était transparent et détourna les yeux.

— En Californie, j'allais souvent plonger du haut des falaises avec Justin, dit Maya. Il réfléchissait, genre, dix minutes avant de sauter. Mais toi, tu n'as pas hésité. Ça me plaît.

Emily fit la planche en souriant. Elle ne pouvait pas s'en empêcher, elle buvait les compliments de Maya avec délectation.

Maya éclaboussa Emily. Un peu d'eau entra dans la bouche de la jeune fille. Elle avait un goût de terre presque métallique – là encore, rien à voir avec le goût chloré de l'eau de piscine.

— Je crois que je vais rompre avec Justin, annonça Maya.

Emily se retourna, nagea jusqu'à la berge et se redressa.

— Vraiment ? Pourquoi ?

— Une relation à distance, c'est trop stressant. Il passe sa vie à me téléphoner ! Je ne suis partie que depuis quelques jours, et il m'a déjà envoyé deux lettres !

Maya leva les yeux au ciel.

— Hum, répondit Emily en agitant ses doigts dans l'eau

boueuse. (Une idée lui traversa l'esprit.) C'est toi qui as mis un petit mot dans mon casier de piscine hier?

Maya fronça les sourcils.

— Après les cours? Non. Tu m'as raccompagnée chez moi, souviens-toi.

— Oui, c'est vrai.

Emily n'imaginait pas vraiment Maya comme l'auteur du message, mais ça aurait grandement facilité les choses.

— Il disait quoi, ce petit mot? interrogea son amie.

Emily secoua la tête.

— Aucune importance. (Elle se racla la gorge.) Tu sais, je vais peut-être larguer mon copain, moi aussi.

Wouah! Ça sort d'où, ça? Elle n'aurait pas été plus surprise si un oiseau avait jailli de sa bouche.

— Vraiment? s'étonna Maya.

Emily cligna des yeux pour en chasser l'eau.

— Je ne suis pas encore décidée. Peut-être.

Maya s'étira les bras, et Emily aperçut de nouveau la cicatrice sur son poignet. Elle détourna le regard.

— On s'en tamponne le coquillard, lâcha Maya.

Emily haussa un sourcil amusé.

— Pardon?

— C'est une de mes expressions préférées. Ça veut dire... On s'en fiche. (Maya grimaça.) Je suppose que ça n'est pas très élégant.

— Ça me plaît, sourit Emily. Je m'en tamponne le coquillard.

Elle gloussa. Ça lui faisait toujours bizarre de jurer. Elle avait l'impression que sa mère pouvait l'entendre depuis sa cuisine, à quinze kilomètres de là.

— Mais je pense que tu devrais larguer ton copain, ajouta Maya. Tu sais pourquoi?

— Tu vas me le dire.

— Parce que comme ça, on serait toutes les deux célibataires en même temps.

— Et alors ? s'enquit Emily.

La forêt lui paraissait étrangement silencieuse tout à coup, comme si elle retenait son souffle.

Maya se rapprocha de son amie.

— Et bien on pourrait... s'amuser ! s'exclama-t-elle en saisissant Emily par les épaules et en la poussant sous l'eau.

— Hé ! glapit Emily en refaisant surface.

D'un large geste du bras, elle éclaboussa son amie. Puis elle lui saisit la jambe et se mit à lui chatouiller la plante du pied.

— Noooon ! hurla Maya. Pas les pieds ! Je crains trop !

— J'ai trouvé ton point faible ! se réjouit Emily en l'entraînant vers une cascade.

Maya réussit à se dégager et lui sauta sur le dos. Ses mains remontèrent le long des flancs d'Emily, puis descendirent vers son ventre pour la chatouiller à son tour. Emily poussa un cri strident. Enfin, elle parvint à pousser Maya dans une petite grotte parmi les rochers.

— J'espère qu'il n'y a pas de chauves-souris là-dedans ! s'exclama Maya.

Des rayons de soleil filtraient par de minuscules ouvertures au plafond, formant un halo autour de ses cheveux trempés.

— Viens là, dit-elle en tendant la main.

Emily la rejoignit. La pierre de la grotte était lisse et fraîche. Les parois réfléchissaient l'écho de leur respiration. Elles échangèrent un sourire ravi.

Emily se mordit la lèvre. Elles partageaient un moment d'amitié tellement parfait qu'un élan de nostalgie l'envahit soudain.

Maya se rembrunit.

— Quelque chose ne va pas?

Emily prit une profonde inspiration.

— Et bien... La fille qui habitait dans ta maison, avant – tu sais, Alison?

— Oui.

— Elle a disparu. Juste après la fin de notre année de 5e. On ne l'a jamais retrouvée.

Maya frissonna.

— Je crois que j'en ai entendu parler.

Emily s'enveloppa de ses bras. Elle avait froid, tout à coup.

— On était vraiment très proches.

Maya l'enlaça.

— Je suis désolée.

Le menton d'Emily tremblait.

— Je voulais juste que tu le saches.

— Merci.

Un long moment s'écoula. Les deux filles restèrent collées l'une contre l'autre. Puis Maya s'écarta.

— J'ai plus ou moins menti tout à l'heure, avoua-t-elle. Au sujet des raisons pour lesquelles je veux rompre avec Justin.

Curieuse, Emily haussa un sourcil.

— Je... je ne suis pas sûre d'aimer les garçons, confessa Maya à voix basse. C'est bizarre. J'en trouve certains mignons, mais quand je suis seule avec eux, je ne ressens pas l'envie de faire des trucs. Je préférerais être avec quelqu'un qui me ressemble. (Un sourire en coin se dessina sur son visage.) Tu vois ce que je veux dire?

Emily se passa les mains dans les cheveux. Soudain, le regard de Maya la mettait mal à l'aise.

— Je..., commença-t-elle.

Non, elle ne voyait pas.

Les buissons remuèrent au-dessus d'elles. Emily frémit. Sa

mère détestait qu'elle aille à la rivière – Dieu seul savait quel genre d'assassins se cachaient dans des endroits pareils.

Le silence revint. Puis des oiseaux s'envolèrent à tire-d'aile et s'éparpillèrent dans le ciel. Emily se plaqua contre les rochers. Et si quelqu'un les espionnait?

Elle entendit un rire familier, bientôt suivi d'une respiration haletante. Ses poils se hérissèrent sur ses bras. Elle jeta un coup d'œil dehors.

Ce n'était qu'un groupe d'adolescents qui venaient de faire irruption dans la crique en brandissant des crosses comme des épées. Emily s'écarta de Maya et de la cascade.

— Où vas-tu? lui demanda son amie.

Emily regarda Maya, puis les garçons, qui avaient abandonné leurs crosses pour se jeter des cailloux. Parmi eux, elle reconnut Mike Montgomery, le petit frère d'Aria. Il avait beaucoup grandi depuis la dernière fois qu'elle l'avait vu. Et, une minute... Mike allait aussi à l'Externat de Rosewood! Ne risquait-il pas de la reconnaître?

Emily se hissa sur la berge et remonta très vite en direction du pont.

— Il faut que je retourne au lycée avant que Carolyn finisse l'entraînement, lança-t-elle par-dessus son épaule. (Elle ramassa sa jupe et l'enfila.) Tu veux que je t'envoie tes fringues?

— Si tu veux.

Maya surgit de derrière la cascade, ses sous-vêtements transparents plaqués contre sa peau. Elle grimpa lentement la pente, sans prendre la peine de se couvrir le ventre ou les seins avec ses mains. Les garçons s'interrompirent pour la suivre des yeux.

Et même si Emily n'en avait pas l'intention, elle ne put s'empêcher de mater elle aussi.

11

AU MOINS, LES PATATES DOUCES SONT BOURRÉES DE VITAMINE A

— Elle! Oui, elle c'est sûr! chuchota Hanna en désignant quelqu'un du doigt.

— Non. Trop petits, répliqua Mona à voix basse.

— Mais regarde comme ils sont gonflés sur le dessus! protesta Hanna. Ça ne fait pas naturel du tout.

— Je pense que cette nana s'est fait remonter le cul, dit Mona en indiquant une autre jeune fille du menton.

— Affreux, affreux, affreux.

Avec une grimace de dégoût, Hanna palpa les côtés de ses fesses parfaitement rondes et fermes pour s'assurer qu'elles n'avaient pas bougé.

C'était mercredi, en fin d'après-midi – plus que deux jours avant la grande soirée de Noel Kahn. Les deux filles traînaient à la terrasse du Yam, le café bio du country club, qui appartenait aux parents de Mona. En contrebas, quelques garçons de l'Externat expédiaient un parcours de golf avant le dîner, mais Hanna et Mona s'adonnaient à un tout autre genre d'activité : repérer les gens qui avaient eu recours à la chirurgie esthétique. Dans le coin, ça ne manquait pas.

— Oui, on dirait que son chirurgien s'est loupé, acquiesça Mona. Je crois que ma mère joue au tennis avec elle. Je lui demanderai.

Hanna détailla de nouveau la femme blonde âgée d'une trentaine d'années qui se tenait debout à côté du bar. Son postérieur paraissait étonnamment rebondi comparé au reste de sa silhouette aussi frêle qu'un cure-dent.

— Plutôt mourir que de me faire charcuter, s'insurgea la jeune fille.

Mona tripota la breloque de son bracelet Tiffany – celui que, de toute évidence, elle n'avait pas été obligée de rendre.

— Tu crois qu'Aria Montgomery s'est fait refaire les seins ?

Surprise, Hanna leva les yeux.

— Pourquoi ?

— Parce qu'elle est vraiment mince et qu'ils sont trop parfaits. Elle revient juste de Finlande ou de je ne sais plus trop quel pays d'Europe du Nord, non ? J'ai entendu dire que là-bas, on pouvait se faire opérer pour trois fois rien.

— Non, ils sont naturels, murmura Hanna.

— Qu'est-ce que tu en sais ? riposta Mona.

Hanna mâchonna sa paille. Aria avait toujours eu de la poitrine – Alison et elle étaient les deux seules de la bande à avoir déjà besoin d'un soutien-gorge en 5ᵉ. Ali ne manquait jamais une occasion de mettre ses seins en valeur, Aria en revanche avait paru découvrir l'existence des siens quand elle avait tricoté des brassières à chacune des filles pour Noël et avait dû s'en confectionner une de la taille supérieure.

— Ce n'est pas son genre, c'est tout, répondit Hanna.

Parler de ses anciennes amies avec Mona la mettait mal à

l'aise. Elle culpabilisait toujours de la façon dont leur petite bande se moquait d'elle à l'époque.

Mona la fixa.

— Tu vas bien? Tu n'as pas l'air dans ton assiette aujourd'hui.

Hanna frémit.

— Qui moi? Non, pas du tout! protesta-t-elle.

— Wouah! Je te trouve bien nerveuse…, ricana Mona.

— Absolument pas, répondit-elle très vite.

Mais elle mentait. Depuis son passage au commissariat et l'e-mail reçu la veille, elle angoissait à mort. Le matin, ses yeux lui avaient paru plus marron que verts, et ses bras affreusement gonflés. Elle avait eu l'horrible impression qu'elle allait spontanément se retransformer en Hanna, la ringarde de 5e.

Une serveuse blonde de la taille d'une girafe interrompit les deux filles :

— Vous avez choisi?

Mona baissa les yeux vers le menu.

— Je prendrai la salade de poulet asiatique, sans sauce.

Hanna se racla la gorge.

— Et moi une salade jardinier sans céleri et sans sauce, avec une portion de frites de patate douce extra-large dans une boîte à emporter, s'il vous plaît.

Tandis que la serveuse récupérait les cartes, Mona baissa ses lunettes de soleil du bout d'un index impeccablement manucuré.

— Des frites de patate douce?

— C'est pour ma mère. Elle ne se nourrit que de ça, ou presque.

Sur le parcours de golf, Hanna aperçut un jeune homme très séduisant au milieu d'un groupe de joueurs d'âge mûr. Il avait l'air un peu déplacé parmi eux avec ses cheveux bruns ébouriffés, son bermuda en toile et son... Non? Ce n'était quand même pas un... un polo de la police de Rosewood?

Si.

Wilden balaya la terrasse du regard. Quand il vit Hanna, il la salua froidement du menton. La jeune fille tenta de se cacher.

— Qui est-ce? s'enquit Mona, intéressée.

— Hum, marmonna Hanna, à moitié planquée sous la table.

Darren Wilden jouait au golf? Ça devait être une plaisanterie. Au lycée, il était plutôt du style à lancer des allumettes enflammées sur les membres de l'équipe de golf. Le monde entier avait-il juré la perte d'Hanna?

Mona plissa les yeux.

— Attends un peu. Je crois que je le connais. Il fréquentait notre bahut dans le temps. (Elle grimaça.) Oh, mon Dieu! C'est le type qui s'est fait toute l'équipe féminine de plongeon. Hanna, espèce de salope! Comment se fait-il que tu le connaisses?

— Il... (Hanna hésita et passa une main le long de la ceinture de son jean.) Je l'ai rencontré sur le chemin de Marwyn il y a deux jours, pendant que je faisais mon jogging. On s'est arrêtés pour boire à la fontaine en même temps.

— Chouette. Il bosse dans le coin? l'interrogea-t-elle.

Hanna ne répondit pas tout de suite. Elle ne voulait pas parler de ça avec Mona. Mais parce qu'elle ne voyait pas quoi faire d'autre, elle finit par lâcher nonchalamment :

— Je crois qu'il a dit qu'il était flic.

— Tu déconnes? (Mona sortit son baume à lèvres Shu Uemura de son sac hobo en cuir bleu et se tamponna légèrement la lèvre inférieure.) Il est assez canon pour poser dans le calendrier de la police. Je vois ça d'ici : Mister Avril. Allons lui demander de nous montrer sa grosse matraque!

— Chuuut! siffla Hanna.

La serveuse leur apporta leurs salades. Hanna repoussa la boîte en polystyrène qui contenait les frites de patate douce et mordit dans une tomate cerise.

Mona se pencha vers elle.

— Je te parie que tu pourrais décrocher un rencard avec lui.

— Qui ça?

— Mister Avril! Qui d'autre?

— C'est ça, ouais, grommela Hanna.

— Mais si. Tu pourrais l'amener à la soirée qu'organise Noel. J'ai entendu dire que des flics y assistaient l'an dernier. C'est grâce à ça qu'il n'a jamais de problème.

Hanna se radossa à sa chaise pour réfléchir. La soirée des Kahn faisait partie des traditions incontournables de Rosewood. Les Kahn vivaient dans une propriété de dix hectares, et, chaque année, les fils de la famille – Noel était le plus jeune – organisaient une fête à tout casser pour la rentrée des classes. Ils pillaient la cave extrêmement bien fournie de leurs parents, et la nuit ne s'achevait jamais sans un scandale.

L'année précédente, Noel avait tiré dans le cul de son meilleur ami James avec un pistolet à air comprimé parce que ce dernier essayait de peloter Alyssa Pennypacker, sa petite amie de l'époque. Les deux garçons étaient tellement soûls qu'ils avaient hurlé de rire pendant tout le trajet jusqu'aux urgences, et n'avaient jamais pu se souvenir du comment et du pourquoi de l'incident. L'année d'avant, un groupe de jeunes complètement déchirés avait tenté de faire fumer un bang aux chevaux de M. Khan.

— Non. (Hanna mordit dans une autre tomate.) Je compte y aller avec Sean.

Mona fit la moue.

— Pourquoi gaspiller une soirée géniale avec lui? Il a fait vœu de chasteté. Il ne viendra probablement même pas.

— Ce n'est pas parce qu'il a fait vœu de chasteté qu'il va rester cloîtré chez lui.

Hanna enfourna une grosse bouchée de sa salade, croquant ses légumes sans sauce et assez peu appétissants.

— Bon. Si tu ne veux pas inviter Mister Avril à la soirée de Noel, c'est moi qui le ferai.

Mona se leva.

Hanna lui saisit le bras.

— Non!

— Pourquoi pas? protesta son amie. Ce serait marrant.

Hanna lui planta ses ongles dans le bras.

— J'ai dit : non.

Mona se rassit et avança la lèvre inférieure d'un air boudeur.

— Pourquoi? insista-t-elle.

Le cœur d'Hanna battait la chamade.

— D'accord. Mais tu dois me promettre que tu ne le répéteras à personne. (Elle prit une profonde inspiration.) Je l'ai rencontré au commissariat, pas sur le chemin de Marwyn. La police voulait m'interroger à propos de ce qui s'est passé chez Tiffany l'autre jour. Rien de grave. Je m'en suis tirée avec un simple avertissement.

— Oh, mon Dieu! s'exclama Mona.

Wilden leva de nouveau les yeux vers elles.

— Chuuut! l'enjoignit Hanna.

— Tu vas bien? Qu'est-ce qui s'est passé? Raconte-moi tout, chuchota Mona.

— Il n'y a pas grand-chose à dire. (Hanna jeta sa serviette en papier sur son assiette.) Ils m'ont emmenée au commissariat, ma mère m'a accompagnée, on a attendu sur un banc pendant un moment. Au final, ils m'ont fait la morale et laissée repartir. Ça n'a pas duré plus de vingt minutes en tout.

— Et ben dis donc...

Mona lança un regard étrange à son amie. Un instant, Hanna se demanda si elle avait pitié d'elle.

— Rien de dramatique, se défendit-elle, la gorge sèche. Il ne s'est pas passé grand-chose. La plupart des flics étaient au téléphone. J'ai passé le plus gros de mon temps à envoyer des textos.

Elle s'interrompit, se demandant si elle devait parler à Mona du message signé « A » qu'elle avait reçu. Mais pourquoi gaspiller sa salive? Ça n'avait sûrement aucune importance...

Mona but une gorgée de Perrier.

— Je pensais que tu ne te ferais jamais choper.

— Oui, ben...

— Ta mère ne t'a pas tuée?

Hanna détourna les yeux. Sur le chemin du retour, sa mère lui avait demandé si elle avait eu l'intention de voler le bracelet à breloque et les boucles d'oreilles. Elle avait répondu que non.

— Très bien. Dans ce cas, n'en parlons plus, avait conclu Mme Marin.

Puis elle avait ouvert son téléphone à clapet pour passer un appel.

Hanna haussa les épaules et se leva.

— Je viens juste de me rappeler – je dois aller promener Dot.

— Tu es sûre que ça va? s'enquit Mona. Tu as l'air un peu barbouillée, et tu es couverte de plaques.

— Ça passera.

Hanna envoya un baiser à son amie et partit.

Elle sortit du restaurant avec sa démarche sexy-cool

habituelle, mais une fois sur le parking, elle se mit à courir. Elle grimpa dans sa Toyota Prius – une voiture que sa mère s'était achetée l'année précédente, mais dont elle avait récemment fait cadeau à Hanna parce qu'elle s'en était lassée – et se regarda dans le rétroviseur. Des taches rouges hideuses brillaient sur ses joues et son front.

Après sa métamorphose, Hanna avait bien pris garde d'avoir l'air parfaite en toutes circonstances. Redoutant que la plus minuscule erreur ne la renvoie à sa ringardise initiale, elle avait soigné les moindres détails de sa nouvelle identité, depuis le pseudo qu'elle utilisait pour chatter sur Internet jusqu'à la sélection de morceaux téléchargés sur son iPod, en passant par le choix du petit ami idéal – qui, par chance, se trouvait être le garçon dont elle était secrètement amoureuse depuis la 5ᵉ. Est-ce que se faire arrêter pour vol dans un magasin allait tout gâché? Elle n'était pas parvenue à déchiffrer l'expression de Mona quand celle-ci avait lâché : « Et ben dis donc... » Est-ce que cela sous-entendait : « Et ben dis donc, ce n'était qu'un mauvais moment à passer », ou : « Et ben dis donc, cette grosse naze est finie »? Peut-être n'aurait-elle pas dû lui en parler. Ceci dit, quelqu'un était déjà au courant. « A ».

Tu sais ce que Sean va dire? Pas moi!

La vision d'Hanna se brouilla. Elle agrippa le volant pendant quelques secondes, puis mit le contact, sortit du parking du country club et s'engagea dans un chemin de gravier qui se terminait en cul-de-sac. Elle entendit les battements de son cœur lui marteler les tempes lorsqu'elle arrêta le moteur et commença à inspirer profondément pour se calmer. La brise sentait le foin et l'herbe fraîchement coupée.

Hanna ferma les yeux. Quand elle les rouvrit, son regard se posa sur la boîte en polystyrène. *Ne fais pas ça*, pensat-elle en détournant les yeux Une voiture passa à toute allure sur la route principale.

Hanna s'essuya les mains sur son jean et jeta un autre coup d'œil à la boîte en polystyrène. *Ne fais pas ça, non, non, non.*

Elle la saisit et ouvrit le couvercle. Une bouffée d'air tiède à la délicieuse odeur sucrée-salée lui chatouilla les narines. Ne pouvant résister, elle saisit une pleine poignée de frites et la fourra dans sa bouche.

Elles étaient si chaudes qu'elle se brûla la langue, mais peu importait. C'était un tel soulagement... La seule chose qui pouvait la réconforter. Elle ne s'arrêta qu'après avoir tout englouti et même léché les côtés de la boîte pour ne pas perdre un seul grain de sel.

Tout de suite après, elle se sentit infiniment mieux – beaucoup plus calme. Mais le temps de rentrer chez elle, les vieux sentiments familiers de panique et de honte l'avaient de nouveau assaillie. Elle n'avait pas fait ça depuis des années, et, pourtant, tout était exactement comme par le passé. Son ventre lui faisait mal, elle était à l'étroit dans son jean et n'aspirait plus qu'à une chose : se purger.

Ignorant les aboiements excités de Dot, elle monta quatre à quatre l'escalier qui conduisait à l'étage, fonça vers les toilettes, claqua la porte derrière elle et s'écroula sur le carrelage. Dieu merci, sa mère n'était pas encore rentrée du travail. Elle n'entendrait pas ce qu'Hanna s'apprêtait à faire.

12

MMMH, APPRÉCIEZ LE DOUX PARFUM DE LA VICTOIRE

C'est clair, il fallait vraiment que Spencer se calme.

Le mercredi soir, elle gara son coupé-cabriolet Mercedes Classe C noir – l'ancienne voiture de sa sœur, qui était passée à un modèle plus récent et plus « pratique » – dans l'allée circulaire de la propriété de ses parents. Sa réunion du bureau des élèves s'était prolongée plus tard que prévu, et elle n'avait pas aimé conduire dans les rues obscures de Rosewood. Toute la journée, elle avait eu l'impression que quelqu'un l'observait, comme si l'auteur du fameux e-mail sur la convoitise risquait de lui sauter dessus à tout moment.

Elle était obsédée par la queue-de-cheval familière qu'elle avait aperçue la veille dans l'ancienne chambre d'Alison. Son esprit ne cessait de revenir à Ali et à toutes les choses que celle-ci savait à son sujet. Mais c'était stupide ! Alison avait disparu depuis trois ans. Elle était probablement morte. Et puis, une nouvelle famille s'était installée chez les DiLaurentis.

Sortant de sa voiture, Spencer se précipita vers la boîte

aux lettres. Elle en sortit une pile de courrier qu'elle tria, remettant à l'intérieur tout ce qui ne lui était pas adressé. Soudain, elle la vit. Une enveloppe longue, ni trop épaisse ni trop mince, avec son nom tapé proprement sous la fenêtre transparente. Expéditeur : le Comité universitaire.

Spencer déchira l'enveloppe et parcourut très vite la feuille du regard. Elle relut ses résultats une demi-douzaine de fois avant de réaliser.

Elle avait obtenu un score de 2 350 sur 2 400.

— Ouaiiiiiiis! hurla-t-elle en serrant le papier contre sa poitrine, si fort qu'il se froissa.

— Wouah! Tu as l'air drôlement contente! lança une voix depuis la route.

Spencer leva les yeux. Andrew Campbell, le grand type à cheveux longs et à taches de rousseur qui l'avait battue aux élections pour la présidence du bureau des élèves de leur promo, était penché par la vitre ouverte d'une Mini Cooper noire. Andrew et elle se tiraient la bourre dans la plupart des matières; ils étaient généralement premier et seconde de leur classe, ou l'inverse. Mais avant que Spencer puisse se vanter de ses résultats, le jeune homme s'éloigna. *Crétin!* Elle se retourna et se dirigea vers la maison.

Comme elle entrait d'un pas sautillant, quelque chose l'arrêta net. Elle se souvint de l'excellent score de Melissa et le convertit rapidement à l'échelle sur 2 400 points actuellement en vigueur. Oui, elle avait obtenu presque cent points de plus que sa sœur. Et entre-temps, les PSAT s'étaient, paraît-il, vraiment complexifiés.

Ah ah, songea-t-elle, triomphante. *Et maintenant, laquelle de nous deux est un petit génie?*

Une heure plus tard, Spencer était assise à la table de la cuisine avec *Middlemarch* – un des romans qui figuraient sur la liste de lectures conseillées de son cours d'anglais renforcé – lorsqu'elle se mit à éternuer.

— Melissa et Wren sont là, annonça Mme Hastings en faisant irruption dans la cuisine avec le courrier que Spencer avait laissé dans la boîte aux lettres. Ils ont apporté toutes leurs affaires pour s'installer.

Elle entrouvrit le four pour vérifier la cuisson du poulet rôti et des petits pains aux sept céréales, puis passa rapidement au salon.

Spencer éternua de nouveau. Un nuage de Chanel N° 5 précédait toujours sa mère – bien qu'elle passât toute sa journée avec des chevaux – et la jeune fille était à peu près certaine d'être allergique à ce parfum. Elle envisagea d'annoncer tout de suite ses résultats aux PSAT, mais une voix flûtée en provenance du hall l'interrompit.

— Maman? appela Melissa.

Wren et elle entrèrent dans la cuisine. Spencer feignit de s'intéresser à l'ennuyeuse quatrième de couverture de *Middlemarch*.

— Salut! lui lança Wren.

— Salut, répondit-elle froidement.

— Qu'est-ce que tu lis?

Spencer hésita. Mieux valait se tenir à l'écart de Wren, surtout maintenant qu'ils allaient vivre sous le même toit.

Melissa passa près d'elle sans lui dire bonjour et se mit à déballer des coussins violets d'un sac Pottery Barn.

— C'est pour le canapé de la grange, annonça-t-elle quasiment en criant.

Spencer frémit. Ce petit jeu pouvait aussi se jouer à deux.

— Oh, Melissa! l'interpella-t-elle. J'ai oublié de te dire! Tu ne devineras jamais qui j'ai croisé!

Sa sœur ne leva même pas les yeux.

— Qui?

— Ian Thomas! Il entraîne mon équipe de hockey sur gazon cette année.

Melissa se figea.

— Il... quoi? Il est revenu ici, à Rosewood? Il t'a demandé de mes nouvelles?

Spencer haussa les épaules et fit mine de réfléchir.

— Non, je ne crois pas.

— Qui est Ian Thomas? demanda Wren en s'accoudant au plan de travail en marbre.

— Personne! aboya Melissa en reportant son attention sur ses emplettes.

Spencer referma son livre et passa dans la salle à manger. Là, elle se sentait déjà mieux.

Elle s'assit à la longue table de ferme, du genre de celles qu'on trouvait autrefois dans les missions, et fit courir un doigt sur le bord du verre sans pied que Candace, la gouvernante de la famille, venait de remplir de vin rouge. Les Hastings acceptaient que leurs filles boivent à la maison du moment qu'elles ne conduisaient pas ensuite; aussi Spencer attrapa-t-elle son verre à deux mains et but-elle avidement.

Quand elle leva les yeux, Wren l'observait, un sourire en coin, depuis l'autre côté de la table, le dos bien droit contre le dossier de sa chaise.

— Hé, lança-t-il.

Pour toute réponse, Spencer haussa les sourcils.

Melissa et Mme Hastings s'assirent à leur tour. M. Hastings régla l'intensité de la lumière du lustre avant de les imiter. Pendant un moment, tout le monde resta muet. Spencer tâta la poche dans laquelle elle avait rangé sa feuille de résultats.

— Devinez ce qui m'arrive, démarra-t-elle.

— Wren et moi sommes tellement contents que vous nous laissiez habiter ici! s'exclama Melissa au même moment en saisissant la main de son petit ami.

Mme Hastings sourit à sa fille aînée.

— Je suis toujours ravie quand notre famille est réunie.

Spencer se mordit la lèvre tandis que son estomac gargouillait nerveusement.

— Papa, j'ai reçu mes...

— Oh oh, coupa Melissa en fixant les assiettes que Candace venait d'apporter. Il y a autre chose que du poulet? Wren ne mange pas de viande.

— Pas de problème, dit Wren précipitamment. Du poulet, c'est parfait.

— Oh! (Mme Hastings fit mine de se lever.) Je ne savais pas que vous étiez végétarien! Il doit y avoir de la salade de pâtes au frigo, mais j'ai peur qu'elle contienne du jambon.

— Je vous assure que ce n'est pas grave.

Gêné, Wren se frotta la tête, ébouriffant ses cheveux noirs.

— Je suis vraiment navrée, se lamenta Mme Hastings.

Spencer leva les yeux au ciel. Quand la famille était réunie, sa mère tenait à ce que tous les repas soient parfaits – y compris les petits déjeuners.

M. Hastings considéra Wren d'un air soupçonneux.

— Moi, je suis un carnivore, proclama-t-il. Rien ne vaut un bon steak saignant.

— Absolument.

Wren leva son verre d'un geste si vif qu'un peu de vin se renversa sur la nappe.

Spencer réfléchissait à la manière dont elle allait amener sa grande nouvelle sur le tapis quand son père posa sa fourchette.

— J'ai une idée géniale. Puisque nous sommes tous là, pourquoi ne pas jouer à la Star du jour?

— Oh, papa, grimaça Melissa. Non!

M. Hastings sourit.

— Oh, si! J'ai eu une journée terrible. Je vais tous vous enfoncer!

— C'est quoi, la Star du jour? interrogea Wren.

L'estomac de Spencer se noua.

La Star du jour était un jeu que ses parents avaient inventé quand sa sœur et elle étaient encore toutes petites. Enfin, inventé – elle les soupçonnait de l'avoir découvert dans un de leurs séminaires pour cadres dynamiques. Les règles étaient très simples : chaque personne racontait ce qu'elle avait fait de plus impressionnant dans la journée, et à la fin, tout le monde élisait la Star du jour. Le but était de mettre les gens en valeur, de les rendre fiers de leurs accomplissements – mais dans la famille Hastings, ça ne faisait qu'exacerber l'esprit de compétition.

Néanmoins, cela s'avérait être un parfait moyen pour Spencer d'annoncer ses résultats.

— Vous allez vite comprendre, Wren, promit M. Hastings. Je commence. Aujourd'hui, j'ai préparé une plaidoirie si magistrale que mon client a spontanément proposé de me payer plus cher.

— Pas mal, acquiesça Mme Hastings en mettant dans sa bouche un minuscule morceau de betterave. À moi, maintenant. Ce matin, j'ai battu Eloïse au tennis : 6-0, 6-0.

— Eloïse est une adversaire redoutable, approuva M. Hastings avant de boire une gorgée de vin.

Spencer jeta un coup d'œil à Wren. Le jeune homme était occupé à ôter soigneusement la peau de son poulet, aussi ne parvint-elle pas à capter son regard.

Mme Hastings se tamponna la bouche avec sa serviette.

— Melissa?

L'interpellée entrelaça ses doigts aux ongles courts et assez peu gracieux.

— Voyons, mmmh… J'ai aidé les ouvriers à recarreler toute la salle de bains – je savais que le seul moyen pour que le résultat soit parfait, c'était de le faire moi-même.

— Bien joué, ma chérie, la félicita son père.

Spencer balança ses jambes sous la table.

M. Hastings finit son vin.

— Wren?

Surpris, le jeune homme leva les yeux.

— Oui?

— C'est votre tour.

Il tripota son verre.

— Je ne sais pas trop quoi dire...

— Nous jouons à la Star du jour, reprit Mme Hastings d'une voix aiguë comme si c'était aussi connu que le Scrabble. Quel miracle avez-vous accompli aujourd'hui, monsieur le docteur?

— Oh... (Wren cligna des yeux.) Euh... aucun, en fait. C'était mon jour de repos. Je suis allé au pub boire des bières avec mes amis de l'hôpital et regarder le match des Phillies.

Silence. Melissa jeta un regard dépité à son petit ami.

— Je trouve ça fantastique, sourit Spencer. Vu la qualité de leur jeu ces derniers temps, les regarder toute la journée est un exploit en soi.

— Je sais – ils sont assez nuls, hein? grimaça Wren, reconnaissant.

— Bref, coupa Mme Hastings. Melissa, quand reprends-tu les cours?

— Une minute, intervint Spencer. (Il n'était pas question qu'on l'oublie!) C'est mon tour!

Sa mère, stupéfaite, resta la fourchette en l'air.

— Désolée.

— Oups! ajouta son père avec bonne humeur. Vas-y, on t'écoute.

— J'ai reçu les résultats de mes PSAT, révéla Spencer. Et... tenez!

Elle sortit la feuille et la tendit à son père. Pourtant, elle

135

savait pertinemment que ses parents s'en foutraient. Les PSAT, ce n'était pas si important, décréteraient-ils avant de retourner à leur beaujolais et aux études de Melissa à Wharton.

Les joues de la jeune fille s'empourprèrent. Pourquoi se donnait-elle tout ce mal ? Elle ne gagnerait jamais avec eux.

Puis son père écarquilla les yeux et lâcha :

— Wouah !

Il fit signe à sa mère de le rejoindre. Quand elle vit le papier, Mme Hastings hoqueta.

— On peut difficilement faire mieux, pas vrai ?

Melissa se tordit le cou pour voir elle aussi. Spencer retint son souffle. Sa sœur aînée la foudroya du regard par-dessus le centre de table en lilas et pivoines. Un instant, Spencer se demanda si ce n'était pas elle qui lui avait envoyé l'e-mail effrayant de la veille. Mais Melissa lui sourit brusquement.

— Tu as vraiment bossé dur, hein ?

— Ça doit être un très bon score, j'imagine ? demanda Wren en jetant un coup d'œil au papier.

— C'est un score fantastique ! rugit M. Hastings.

— Quelle réussite ! s'exclama Mme Hastings. Comment veux-tu fêter ça, Spencer ? On pourrait aller dîner en ville. Y a-t-il un restaurant qui te plairait en particulier ?

— Quand j'ai eu les résultats de mes PSAT, vous m'avez acheté une première édition de Fitzgerald à une vente aux enchères, vous vous souvenez ? lança Melissa, rayonnante.

— C'est vrai, acquiesça Mme Hastings.

Melissa se tourna vers Wren.

— Tu aurais adoré ça. C'était génial d'enchérir sur ce livre.

— Tu n'as qu'à y réfléchir un peu, dit Mme Hastings à Spencer. Cherche quelque chose de mémorable comme ce que nous avons offert à Melissa.

Spencer se redressa lentement sur sa chaise.

— En fait, je sais déjà ce qui me ferait plaisir.

— Quoi donc? demanda son père en se penchant vers elle.

Nous y voilà, songea la jeune fille.

— Ce que j'aimerais par-dessus tout, ce serait de m'installer dans la grange – tout de suite et pas dans quelques mois.

— Mais..., lâcha Melissa avant de s'interrompre.

Wren se racla la gorge. M. Hastings fronça les sourcils. L'estomac de Spencer émit un grondement affamé. Elle le couvrit de ses mains.

— Tu es sûre de toi? s'enquit Mme Hastings.

— À cent pour cent, affirma Spencer.

— D'accord, dit sa mère en jetant un coup d'œil à son père. Et bien...

Melissa posa bruyamment sa fourchette.

— Mais... Wren et moi?

— Tu as dit toi-même que les travaux ne prendraient pas longtemps, fit remarquer Mme Hastings en posant son menton dans sa main. En attendant, vous pourrez toujours dormir dans ton ancienne chambre.

— Dans les lits jumeaux? protesta Melissa d'une voix geignarde et enfantine qui ne lui ressemblait pas.

— Ça ne me dérange pas, reprit Wren.

Melissa le foudroya du regard.

— On pourrait déménager le grand lit que tu avais dans la grange, le monter dans ton ancienne chambre et mettre celui de Spencer à la place, suggéra Mme Hastings.

Spencer n'en croyait pas ses oreilles.

— Vous feriez ça?

Sa mère haussa les sourcils.

— Melissa, tu survivras, n'est-ce pas?

Melissa repoussa les cheveux qui lui tombaient devant la figure.

— Je suppose que oui, marmonna-t-elle. Personnellement, je trouve que la vente aux enchères et la première édition étaient beaucoup plus enrichissantes, mais chacun ses goûts.

Wren but discrètement une gorgée de vin. Quand Spencer accrocha son regard, il lui fit un clin d'œil.

M. Hastings se tourna vers sa cadette.

— Alors, c'est réglé.

Spencer se leva d'un bond et étreignit ses parents.

— Merci, merci, merci!

— Tu pourras t'installer dès demain, lui annonça sa mère en souriant.

— Spencer, tu es incontestablement la Star du jour, ajouta son père en brandissant le papier taché de vin rouge. On devrait encadrer tes résultats en souvenir!

Spencer esquissa un sourire. Elle n'avait pas besoin d'encadrer quoi que ce soit. Elle se souviendrait de ce jour aussi longtemps qu'elle vivrait.

13

$\mathcal{P}$REMIER ACTE : LA FILLE SE FAIT
DÉSIRER PAR LE GARÇON

— Tu veux m'accompagner à un vernissage au studio
Chester Springs lundi prochain dans la soirée ? demanda
Ella Montgomery.

C'était le jeudi matin. Assise face à sa fille à la table du
petit déjeuner, la mère d'Aria mangeait un bol de Cheerios
en faisant les mots croisés du *New York Times* avec un stylo
noir dont l'encre bavait. Elle venait de reprendre son travail
à mi-temps à la galerie d'art contemporain Davis, dans
l'avenue principale de Rosewood, et figurait sur la liste d'invités de tous les événements organisés par celle-ci.

— Papa n'y va pas avec toi ? interrogea Aria.

Ella fit la moue.

— Il a beaucoup de travail avec la reprise des cours.

— Ah.

Aria tira sur le fil de laine qui dépassait des mitaines
qu'elle s'était tricotées pendant un long voyage en train
à destination de la Grèce. Était-ce de la suspicion qu'elle

détectait dans la voix de sa mère ? Elle avait toujours peur qu'Ella ne découvre la vérité au sujet de Meredith et qu'elle ne lui pardonne jamais d'avoir gardé le secret.

Elle ferma les yeux. *Tu ne dois pas y penser.*

— Ella, dit-elle en se versant du jus de pamplemousse dans un verre. J'ai besoin d'un conseil concernant ma vie amoureuse.

— Ta vie amoureuse ? répéta sa mère sur un ton taquin, ramassant ses longs cheveux noirs en chignon et fixant celui-ci à l'aide d'une baguette chinoise qui traînait sur la table.

— Oui. J'ai rencontré un garçon qui me plaît, mais il est... disons, inaccessible. Je suis à court d'idées pour lui plaire.

— Sois toi-même.

Aria poussa un grognement.

— J'ai déjà essayé.

— Alors, sors avec un garçon accessible !

Elle leva les yeux au ciel.

— Tu comptes m'aider, oui ou non ?

— Oooh, tu es bien susceptible aujourd'hui, sourit Ella. (Puis elle claqua des doigts.) Je viens juste de lire une étude dans le journal. C'est un sondage sur ce que les hommes trouvent le plus séduisant chez les femmes. Et tu sais ce qui arrive en premier ? L'intelligence ! Attends, je vais te montrer...

Elle feuilleta rapidement le *New York Times* et tendit la page à sa fille.

— Aria a des vues sur quelqu'un ? demanda Mike en entrant dans la cuisine et en attrapant un donut couvert de glaçage dans la boîte posée sur le comptoir.

— Non ! s'exclama très vite Aria.

— En tout cas, quelqu'un a des vues sur toi, répliqua son frère. Aussi étrange que cela puisse paraître.

Il fit un bruit comme s'il allait vomir.

— Qui ça? s'enquit Ella, tout excitée.

— Noel Kahn, répondit Mike la bouche pleine de donut. Il m'a posé un tas de questions sur toi pendant l'entraînement de lacrosse.

— Noel Kahn, répéta Ella, son regard passant de son fils à sa fille et *vice versa*. C'est qui? Il fréquentait déjà l'Externat de Rosewood il y a trois ans? Je le connais?

Aria leva les yeux au ciel.

— Ce n'est personne.

— Personne? (Mike avait l'air dégoûté.) Non, c'est juste le type le plus cool de toute ta promo.

— Si tu le dis.

Aria embrassa sa mère sur le front et se dirigea vers le couloir en emportant la page de journal. Alors comme ça, les hommes aimaient les femmes intelligentes? Aria l'Islandaise ne les décevrait pas.

— Pourquoi il ne te plaît pas? Il est génial!

La voix de Mike fit sursauter Aria. Son frère se tenait tout près d'elle, une brique de jus d'orange à la main.

La jeune fille poussa un grognement.

— S'il te plaît tant que ça, tu n'as qu'à sortir avec lui, toi-même!

Mike but à même la brique, s'essuya la bouche d'un revers de manche et fixa sa sœur.

— Tu es bizarre. Tu as fumé quelque chose? Je peux en avoir?

Aria ricana. En Islande, Mike passait son temps à essayer de trouver de la drogue. Il avait fini par acheter un sachet d'herbe à des gars plus ou moins louches, sur le port. La beuh était infâme, mais il l'avait fumée fièrement jusqu'à la dernière miette.

Mike se frotta pensivement le menton.

— Je crois que je sais ce qui t'arrive.

Aria pivota vers lui.

— Tu délires complètement, mon pauvre.

— Tu crois ça? Tu te trompes. Et je ne tarderai pas à découvrir si mes soupçons sont fondés.

— Bonne chance, Sherlock.

Aria saisit sa veste. Et même si elle savait que son frère bluffait probablement, elle espéra qu'il n'avait pas entendu le tremblement dans sa voix.

Tandis que les autres élèves entraient et s'installaient dans la classe – la plupart des garçons portaient une barbe de trois jours et la plupart des filles des bracelets à breloque et des sandales à semelle compensée comme celles d'Hanna et de Mona –, Aria passa en revue les fiches qu'elle venait de rédiger à la hâte.

Ce jour-là, ils devaient faire un exposé oral sur la pièce *En attendant Godot*. Aria adorait les exposés oraux, auxquels sa voix grave et sexy se prêtait à merveille. En outre, le hasard ou la chance voulait qu'elle connaisse vraiment bien cette pièce. Une fois, elle avait passé tout un dimanche dans un bar de Reykjavik à discuter âprement de son thème principal avec un sosie d'Adrien Brody – à discuter et à lui faire du pied sous la table en sirotant de délicieuses vodka-martini à la pomme. Donc, c'était non seulement une occasion rêvée de se la jouer étudiante brillante devant Ezra, mais aussi une parfaite opportunité de montrer à ses camarades combien Aria l'Islandaise était cool.

Ezra entra avec son look d'intello légèrement débraillé et totalement craquant. Il frappa dans ses mains.

— Un peu de silence, s'il vous plaît! réclama-t-il. Nous avons beaucoup à faire aujourd'hui.

Hanna Marin se retourna sur sa chaise et adressa un sourire à Aria.

— À ton avis, il porte quoi comme sous-vêtements?

Aria eut un sourire vague – un boxer en coton rayé, évidemment – mais garda son attention braquée sur Ezra.

— Très bien, dit le jeune homme en se dirigeant vers le tableau noir. Tout le monde a lu la pièce, j'espère? Tout le monde a préparé un exposé? Qui veut passer en premier?

La main d'Aria jaillit dans les airs. Ezra hocha la tête. La jeune fille se leva et se dirigea vers l'estrade en arrangeant ses cheveux noirs sur ses épaules et en vérifiant que son collier de corail n'était pas pris dans le col de son chemisier. Elle relut rapidement les premières phrases de ses fiches, celles qui devaient servir à créer l'ambiance.

— L'année dernière, j'ai assisté à une représentation de *En attendant Godot* à Paris, commença-t-elle.

Elle vit Ezra hausser imperceptiblement un sourcil.

— C'était dans un petit théâtre au bord de la Seine, une odeur de brioche s'échappait de la boulangerie voisine. (Elle marqua une pause.) Imaginez la scène : une longue file de gens qui attendent pour entrer, une femme qui promène ses deux caniches blancs, la tour Eiffel qui se découpe dans le lointain.

Elle leva brièvement les yeux. Ses camarades avaient l'air captivés.

— Je sentais l'énergie, l'excitation, la passion qui planaient dans l'air. Et pas seulement en raison de la bière qu'ils vendaient au tout-venant – mon petit frère y compris, ajouta-t-elle en grimaçant.

— Sympa! s'exclama Noel Kahn.

Aria sourit.

— Les sièges en velours violet sentaient ce beurre qu'on fabrique en France et qui est beaucoup plus doux que notre beurre américain. Ce qui explique que leurs viennoiseries soient si délicieuses.

— Aria, intervint Ezra.

— Avec ce genre de beurre, même les escargots passent tout seuls!

— Aria!

La jeune fille s'interrompit. Ezra était adossé au tableau noir, les bras croisés sur son blazer.

— Oui?

— Je suis obligé de t'arrêter.

— Mais... Je viens juste de commencer!

— Oui, mais j'aimerais moins de détails sur la composition des pâtisseries ou l'ameublement du théâtre, et davantage sur la pièce.

Le reste de la classe ricana. Aria alla se rasseoir en traînant les pieds, la tête basse et l'air morose. Ezra ne s'était-il pas rendu compte qu'elle essayait de créer une atmosphère?

Noel Kahn leva la main.

— Noel, tu veux passer? demanda Ezra.

— Surtout pas! se récria Noel. (Ses camarades s'esclaffèrent.) Je voulais juste dire que pour ma part, j'avais bien aimé l'exposé d'Aria.

— Merci, murmura la jeune fille.

Noel se tourna vers elle.

— Il n'y a vraiment pas d'âge minimum pour boire de l'alcool en Europe?

— Pas vraiment.

— Je vais peut-être aller en Italie avec ma famille cet hiver.

— L'Italie, c'est génial. Tu vas adorer.

— Vous avez fini tous les deux? les interrompit Ezra.

Il jeta un regard exaspéré à Noel. Aria planta ses ongles vernis fuchsia dans le bois de son pupitre.

— Il y a de l'absinthe là-bas? murmura Noel.

Aria acquiesça, stupéfaite que le jeune homme ait entendu

parler de cet alcool interdit dans de nombreux pays parce qu'il avait la réputation de rendre fou.

— Monsieur Kahn, coupa sèchement Ezra. Ça suffit.

Était-ce de la jalousie qu'elle décelait dans sa voix?

— Merde alors! souffla Hanna. Il a avalé un manche à balai ou quoi?

Aria pouffa. Il semblait bien qu'une certaine étudiante brillante rende son professeur extrêmement nerveux.

Ezra appela Devon Arliss au tableau, et la jeune fille commença son exposé. Comme Ezra se tournait sur le côté et posait un index sur son menton pour l'écouter, le cœur d'Aria se serra. Elle le voulait si fort que ça la faisait vibrer de la tête aux pieds.

Ah, non. Ce n'était que son portable. Comme il n'arrêtait pas de vibrer, elle se pencha discrètement pour le sortir de son cabas vert pomme posé à ses pieds. Elle avait reçu un nouveau texto.

Aria,

Peut-être que c'est une habitude chez lui de sortir avec ses élèves. Des tas de profs font ça – demande à ton père!

— A

Aria referma très vite son portable. Puis elle le rouvrit et relut le message. Encore et encore. Elle sentit les poils de ses avant-bras se hérisser.

Aucun de ses camarades n'avait de téléphone à la main – ni Hanna, ni Noel, ni personne d'autre. Et aucun d'entre eux ne la regardait. Elle leva les yeux au plafond, se pencha pour jeter un coup d'œil par la porte ouverte de la classe. Tout paraissait normal.

— C'est impossible, chuchota-t-elle.

La seule autre personne qui était au courant pour la liaison de son père, c'était Alison. Et elle avait juré sur sa tombe qu'elle n'en parlerait jamais à personne. Était-elle revenue?

14

ÇA T'APPRENDRA À « GOOGLISER » LES GENS QUAND TU ES CENSÉE ÉTUDIER

Spencer se rendit à la bibliothèque du lycée, pendant son heure libre du jeudi après-midi. Avec ses étagères bourrées d'ouvrages de référence qui montaient jusqu'au plafond, le globe géant monté sur socle qui se dressait dans un coin et le vitrail qui se découpait sur le mur du fond, c'était l'endroit préféré de la jeune fille sur le campus. Debout au milieu de la pièce vide, elle ferma les yeux et inspira profondément la bonne odeur de reliures en cuir.

La journée s'était passée à merveille. Un froid inhabituel pour la saison lui avait permis d'étrenner son nouveau manteau Marc Jacobs bleu pâle, la serveuse du café lui avait préparé un double *latte* écrémé absolument délicieux, elle venait de cartonner à un oral de français, et le soir même, elle s'installerait dans la grange pendant que Melissa dormirait à l'étroit dans son ancienne chambre de jeune fille.

Malgré tout cela, une vague angoisse la tenaillait : une sorte de mélange entre le malaise qu'elle éprouvait quand elle avait oublié quelque chose et l'impression que quelqu'un l'observait. Elle en connaissait la raison. Ce fichu e-mail sur la définition de la convoitise. La queue-de-cheval blonde aperçue dans l'ancienne chambre d'Ali. Le fait que seule Ali ait été au courant pour Ian...

Tentant de se ressaisir, Spencer s'assit devant l'ordinateur, rajusta l'élastique de ses collants Wolford bleu marine à motifs et se connecta sur Internet. Elle avait des recherches à faire pour son exposé de biologie. Mais après avoir examiné les résultats fournis par Google, elle ne put s'empêcher de taper « Wren Kim ».

Un premier lien vers le site de l'école Mill Hill de Londres la conduisit à une photo de Wren plus jeune, les cheveux plus longs, posant debout près d'un bec Bunsen et d'un râtelier d'éprouvettes. Elle étouffa un gloussement. Le second lien menait au portail étudiant de l'université Corpus Christi d'Oxford – et à une autre photo de Wren, vêtu d'un costume shakespearien et brandissant un crâne. Spencer ne savait pas que le jeune homme faisait du théâtre. Comme elle tentait d'agrandir la photo pour vérifier à quel point ses collants le moulaient, quelqu'un lui tapa sur l'épaule.

— C'est ton petit ami ?

Spencer sursauta, heurtant son téléphone portable Sidekick orné de cristaux qui alla s'écraser par terre. Andrew Campbell se tenait derrière elle, affichant un sourire idiot.

Elle referma très vite la fenêtre.

— Bien sûr que non !

Andrew se baissa pour ramasser son Sidekick, repoussant une mèche de longs cheveux raides qui lui tombait devant les yeux. Spencer réalisa qu'il pourrait être mignon s'il coupait sa crinière de lion.

— Oups ! s'excusa-t-il en lui rendant son téléphone. Je crois qu'une des petites pierres est tombée.

Spencer lui arracha son Sidekick des mains.

— Tu m'as fait peur.

— Désolé, sourit Andrew. Alors, ton petit ami est comédien ?

— Je viens de te dire que ça n'était pas mon petit ami !

Andrew recula.

— Pardon. J'essayais juste de faire la conversation.

Spencer le fixa d'un air méfiant et garda le silence.

— Bref, reprit Andrew en rajustant son sac à dos North Face sur son épaule. Je me demandais si tu allais chez Noel demain. Si c'est le cas, je peux t'y emmener en voiture.

Spencer mit quelques instants à comprendre de quoi il parlait. Puis elle se souvint : la soirée de rentrée des classes de Noel Kahn. Elle y avait été l'année précédente. Les invités buvaient de la bière avec un entonnoir et un tuyau, et presque toutes les filles trompaient leur copain. Ce serait probablement la même chose cette fois. Et... Andrew ne pensait pas sérieusement qu'elle allait l'accompagner dans sa Mini ? Elle n'était même pas sûre qu'ils rentrent à deux dans ce pot de yaourt.

— Ou pas, répliqua-t-elle.

Andrew se décomposa.

— J'imagine que tu es très occupée, murmura-t-il.

Spencer fronça les sourcils.

— Qu'est-ce que c'est censé signifier ?

Le jeune homme haussa les épaules.

— Tu fais des tas de trucs après les cours, et ta sœur est chez toi en ce moment, non ?

Spencer se radossa à sa chaise et se mordit la lèvre inférieure.

— Oui, elle est arrivée hier soir. Comment le sais... ?

Elle s'interrompit. Une seconde. Andrew était tout le

148

temps fourré dans sa rue. Elle l'avait vu pas plus tard que la veille, quand elle relevait son courrier.

Spencer déglutit. Maintenant qu'elle y réfléchissait, elle avait peut-être vu passer une Mini noire le jour où Wren et elle s'étaient baignés ensemble dans le Jacuzzi. Et si c'était lui qui l'espionnait ? Lui qui avait écrit cet e-mail sur la définition de la convoitise ? Il avait un esprit de compétition tellement développé que ça ne semblait pas impossible. Envoyer des messages de menace était un bon moyen de lui faire péter les plombs et de l'éliminer de la course pour les prochaines élections du bureau des élèves... Voire, pour le titre de major de leur promo.

Et ces longs cheveux blonds ! Peut-être était-ce lui qu'elle avait vu dans la chambre d'Ali ! Incroyable ! Elle le fixait incrédule.

— Quelque chose ne va pas ? s'enquit Andrew, inquiet.

— Je dois y aller.

Spencer rassembla ses affaires et se dirigea vers la sortie.

— Attends ! s'exclama Andrew.

Elle continua à avancer. Mais comme elle poussait la porte de la bibliothèque, elle réalisa qu'elle n'était pas en colère. Bien sûr, elle trouvait ça étrange qu'Andrew l'espionne, mais si le jeune homme était bien le fameux « A », elle n'avait rien à craindre. Quoi qu'il pense savoir, ce n'était rien comparé à ce qu'Alison savait.

Spencer atteignit la porte de la salle de permanence en même temps qu'Emily Fields.

— Salut ! lança Emily.

Une expression nerveuse passa brièvement sur son visage.

— Salut ! répondit Spencer.

Emily rajusta son sac à dos Nike. Spencer repoussa sa frange en arrière. Depuis quand n'avait-elle pas adressé la parole à son ancienne amie ?

— Il fait froid aujourd'hui, hein ? déclara Emily d'un air gêné, comme si elle ignorait quoi dire d'autre.

Spencer acquiesça.

— Oui, plutôt.

Puis Tracy Reid, elle aussi dans l'équipe de natation, prit le bras d'Emily.

— Quand est-ce qu'on doit recevoir l'argent pour nos nouveaux maillots ? lui demanda-t-elle.

Pendant qu'Emily répondait, Spencer faisait mine d'épousseter des saletés sur son blazer en se demandant si elle pouvait s'éloigner tout bêtement ou si elle devait d'abord dire au revoir. Puis quelque chose attira son attention sur le poignet d'Emily. Sa camarade portait toujours le bracelet brésilien bleu qu'Alison leur avait fabriqué en 6ᵉ, juste après l'accident – c'est-à-dire l'affaire Jenna.

À l'origine, les filles visaient Toby, le frère de Jenna. Il s'agissait d'une blague, ni plus ni moins. Après avoir tout manigancé ensemble, Alison avait traversé la rue pour regarder par la fenêtre de la cabane de Toby, perchée dans les arbres. Et quand ça s'était produit... Les conséquences avaient été terribles... pour Jenna.

Après le départ de l'ambulance, Spencer avait découvert une chose qu'aucune des autres filles ne savait. Toby avait vu Ali, mais Ali avait surpris Toby faire quelque chose de bien pire. Il n'avait pas pu la dénoncer de peur qu'elle n'en fasse autant.

Peu de temps après, Ali avait fabriqué un bracelet à chacune des filles – pour leur rappeler qu'elles étaient amies à jamais, et qu'à cause de cet horrible secret, elles se devraient mutuellement protection. Spencer s'était attendue à ce qu'Ali raconte aux autres que quelqu'un l'avait vue, mais elle n'en avait rien fait.

Quand les flics avaient interrogé Spencer après la

disparition d'Ali, ils lui avaient demandé si cette dernière avait des ennemis – si quelqu'un pouvait lui vouloir du mal. Spencer avait répondu qu'Ali était très populaire, et que, pour cette raison, elle suscitait pas mal de jalousie chez ses camarades, mais rien de plus.

Ce qui était un énorme mensonge. Certaines personnes avaient de très bonnes raisons de détester Ali. Spencer savait qu'elle aurait dû raconter à la police ce que son amie lui avait confié concernant l'affaire Jenna... – raconter que Toby cherchait peut-être à se venger. Mais impossible de leur dire ça sans expliquer pourquoi à ses amies.

Après avoir menti à la police, elle ne se sentait plus le courage d'avouer la vérité aux filles. Lorsque Toby et Jenna furent envoyés en pension, Spencer pensa que cela allait tout régler, que leur secret serait désormais en sécurité. Ses anciennes amies et elle n'avaient plus rien à craindre de Toby. Et elle n'était pas obligée de dévoiler aux autres ce qu'elle était la seule à savoir.

Comme Tracy Reid lui disait au revoir, Emily se retourna et eut l'air surpris de découvrir que Spencer était encore là.

— Je dois aller en cours. Mais ça m'a fait plaisir de te voir.

— Moi aussi, répondit Spencer.

Elles échangèrent un dernier sourire gêné avant de se séparer.

15

INSULTER SA VIRILITÉ N'EST VRAIMENT PAS UNE BONNE IDÉE

— Vous êtes vraiment mous aujourd'hui! Bougez-vous un peu!

C'était le jeudi après-midi. Emily nageait avec le reste de son équipe dans l'eau bleue cristalline de la piscine du lycée. Lauren Kincaid, leur jeune entraîneur et ex-athlète olympique, les houspillait depuis le bord du bassin. Il mesurait vingt-cinq mètres de large sur cinquante de long, était muni d'un plongeoir et surplombé d'énormes verrières, de sorte que quand les nageurs s'entraînaient au dos crawlé dans la soirée, ils pouvaient apercevoir les étoiles au-dessus d'eux.

Agrippée au muret d'une main, Emily rajusta son bonnet de bain sur ses oreilles de l'autre. Il fallait vraiment qu'elle se concentre aujourd'hui.

La veille au soir, après être rentrée de la rivière avec Maya, elle était restée allongée sur son lit un long moment, oscillant entre des émotions contradictoires : douce béatitude quand elle pensait au moment qu'elle venait de passer avec Maya, vague inquiétude quand elle se remémorait la confession de sa camarade. *Je ne suis pas sûre d'aimer les garçons. J'ai plutôt envie d'être avec quelqu'un qui me ressemble.* Est-ce que cela voulait dire ce qu'elle croyait?

Maya avait eu l'air bien excitée de se retrouver seule avec elle. Et les deux filles n'avaient pas arrêté de se chatouiller, de se toucher... Nerveuse, Emily avait fouillé dans son sac de gym en quête du petit mot signé « A ». Elle l'avait lu et relu, analysant chaque mot jusqu'à ce qu'ils se brouillent sous ses yeux.

À l'heure du dîner, sa décision était prise : elle devait se jeter à corps perdu dans la natation. Plus question de rater le moindre entraînement. À partir de maintenant, elle serait une sportive modèle.

Ben s'approcha d'elle et s'accrocha au muret des deux mains.

— Tu m'as manqué hier.

— Mmmh.

Avec lui aussi, Emily allait prendre un nouveau départ. Après tout, il était canon avec ses taches de rousseur, ses yeux bleus perçants, son menton mal rasé et son beau corps musclé de nageur. Elle tenta de l'imaginer sautant du pont du chemin de Marwyn. Se moquerait-il d'elle? Penserait-il que c'était infantile?

— Alors, où étais-tu passée? demanda le jeune homme en soufflant sur ses lunettes de piscine pour enlever la buée.

— Je faisais du soutien d'espagnol.

— Tu veux venir chez moi après l'entraînement? Mes parents ne rentreront pas avant vingt heures.

— Je... je ne sais pas si je vais pouvoir.

Emily s'écarta du mur et commença à nager, observant les mouvements de ses bras et de ses jambes brouillés par l'eau.

— Pourquoi? interrogea Ben en la rejoignant.

— Parce que...

Emily ne trouvait aucune excuse.

— Tu sais que tu en meurs d'envie, chuchota Ben.

Il prit de l'eau dans ses mains et commença à l'éclabousser. Maya avait fait la même chose la veille, mais cette fois-ci, Emily s'écarta subitement. Ben s'interrompit.

— Quoi?

— Arrête.

Il la prit par la taille.

— Tu n'aimes pas être mouillée? demanda-t-il avec une voix de bébé.

Emily se dégagea.

— Arrête, répéta-t-elle, agacée.

Ben recula.

— D'accord, d'accord.

Avec un soupir, la jeune fille alla se réfugier de l'autre côté du bassin. Elle aimait bien Ben – vraiment. Peut-être devrait-elle accepter son invitation. Ils regarderaient des épisodes d'*American Chopper* enregistrés sur cassette en mangeant une pizza livrée par DiSilvio, et le jeune homme glisserait ses mains sous sa vilaine brassière de sport.

À cette pensée, des larmes montèrent aux yeux d'Emily. Elle n'avait aucune envie de passer la soirée sur un canapé bleu qui grattait, à déloger les morceaux d'origan coincés entre ses dents et à remuer sa langue dans la bouche de Ben. Elle ne pouvait tout simplement pas.

Elle était incapable de se forcer. Cela signifiait-il qu'elle devait rompre? Difficile de prendre une décision aussi délicate alors que Ben faisait des longueurs à moins de deux mètres d'elle.

Sa sœur Carolyn, qui s'entraînait dans le couloir voisin, lui donna une tape sur l'épaule.

— Tout va bien?

— Ouais, marmonna Emily en saisissant une planche en mousse bleue.

— Si tu le dis.

Carolyn semblait sur le point d'ajouter quelque chose. La veille, après son excursion à la rivière avec Maya, Emily avait regagné le parking du lycée juste à temps pour voir sa sœur sortir par la double porte vitrée de la piscine. Quand Carolyn lui avait demandé où elle était passée, elle avait répondu qu'elle avait fait du soutien d'espagnol. Carolyn avait eu l'air de la croire, malgré ses cheveux mouillés et le drôle de chuintement que faisait le moteur de la Volvo en refroidissant.

Les deux sœurs se ressemblaient beaucoup. Elles avaient toutes les deux des taches de rousseur sur le nez, des cheveux blond-roux décolorés par le chlore et des cils très courts qui les obligeaient à porter plusieurs couches de mascara Great Lash de Maybelline. En plus, elles partageaient la même chambre. Pourtant, elles n'étaient pas spécialement proches. Carolyn était une fille discrète et obéissante – comme sa cadette. Mais contrairement à Emily, elle paraissait s'en satisfaire.

Lauren siffla.

— On travaille les battements de jambes ! Tout le monde en ligne !

Les nageurs se placèrent du plus rapide au plus lent, leur planche en mousse tendue devant eux. Ben était juste devant Emily. Il lui jeta un coup d'œil par-dessus son épaule et haussa un sourcil.

— Je ne peux pas venir ce soir, murmura la jeune fille pour que leurs camarades masculins – qui se pressaient derrière elle en se moquant du faux bronzage raté de Gemma Curran – ne puissent pas l'entendre. Désolée.

Ben pinça les lèvres.

— Quelle surprise ! lâcha-t-il sur un ton amer.

Puis Lauren donna le signal du départ pour les premiers

nageurs. Le jeune homme donna une impulsion et se mit à battre des jambes. Mal à l'aise, Emily attendit que Lauren siffle de nouveau et partit derrière lui.

Tout en nageant, elle regarda les jambes de Ben s'agiter devant elle. Cette manie qu'il avait de porter un bonnet de bain alors que ses cheveux étaient hypercourts – elle trouvait ça vraiment débile. Et il était complètement maniaque avec ses poils. Avant chaque course, il se rasait tout le corps, bras et jambes compris.

Pour l'heure, ses pieds projetaient d'énormes éclaboussures dans la figure d'Emily. Foudroyant du regard l'arrière de son crâne, la jeune fille accéléra.

Bien qu'elle soit partie cinq secondes après lui, elle atteignit le mur d'en face presque en même temps que Ben. Agacé, le jeune homme se retourna vers elle. La règle voulait que même les vedettes de l'équipe laissent passer devant elles les nageurs les ayant rattrapées durant un exercice. Mais Ben se contenta de virer et de repartir en sens inverse.

— Ben! aboya Emily.

Le jeune homme se dressa dans le petit bain et se tourna vers elle.

— Quoi?

— Laisse-moi passer devant.

Il leva les yeux au ciel et replongea.

Emily se propulsa énergiquement vers lui. De nouveau, elle atteignit le mur d'en face sur ses talons. Ben lui fit face, furieux.

— Tu vas me lâcher, oui?

Emily éclata de rire.

— Tu es censé me laisser passer, lui rappela-t-elle.

— Si tu ne partais pas en même temps que moi, tu ne finirais peut-être pas par me grimper dessus.

Elle ricana.

— Je n'y peux rien si je suis plus rapide que toi.

Ben en resta bouche bée. *Oups!* Emily se passa la langue sur les lèvres.

— Ben...

Le jeune homme leva la main pour l'interrompre.

— Non. Va battre des records, va! Ne t'occupe pas de moi.

Il jeta ses lunettes de piscine sur le bord du bassin. Elles rebondirent sur le carrelage et retombèrent dans l'eau, évitant de peu l'épaule faussement bronzée de Gemma Curran.

— Ben...

Ben foudroya Emily du regard, avant de se retourner et de sortir de l'eau.

— Laisse tomber.

Il se dirigea vers les vestiaires des hommes à grands pas furibonds et disparut à l'intérieur. La porte continua à battre doucement derrière lui.

Emily secoua la tête. Puis elle se souvint d'un truc que Maya avait dit la veille.

— On s'en tamponne le coquillard, lâcha-t-elle tout bas.

Et elle sourit.

16

$\mathcal{N}$E JAMAIS SE RÉJOUIR DE RECEVOIR UNE INVITATION SI ELLE NE COMPORTE PAS L'ADRESSE DE l'EXPÉDITEUR

— Alors, tu viens ce soir?

Hanna colla son BlackBerry contre son autre oreille et attendit la réponse de Sean.

C'était le jeudi, après la fin des cours. Mona et Hanna venaient de prendre un cappuccino au café du campus, mais Mona avait dû partir de bonne heure afin de s'entraîner pour le tournoi de golf mère-fille qu'elle disputerait ce week-end. Hanna était donc rentrée chez elle. Assise sous le porche, elle téléphonait à Sean en regardant les jumelles des voisins dessiner à la craie des petits garçons nus avec une précision anatomique étonnante dans l'allée de leur garage.

— Je ne peux pas, répondit Sean. Je suis vraiment désolé.

— Mais tu sais bien que le jeudi, c'est le jour de *Nerve*! protesta Hanna.

Sean et elle étaient accros à cette émission de téléréalité

relatant la vie de quatre couples qui s'étaient rencontrés sur Internet. L'épisode de ce soir était particulièrement important parce que leurs candidats préférés, Nate et Fiona, allaient coucher ensemble. Hanna espérait que ça lui fournirait un point de départ pour la conversation qu'elle voulait avoir avec son petit ami.

— Je... j'ai une réunion ce soir.

— Une réunion de quoi?

— Euh... Du club de chasteté.

Hanna en resta bouche bée. Et en plus, ils se réunissaient...

— Tu ne peux pas sécher? réclama-t-elle d'une voix plaintive.

Sean mit un moment à répondre :

— Non, je ne peux pas.

— Comptes-tu au moins venir chez Noel demain soir? Nouvelle pause.

— Je n'en sais rien.

— Sean! Il faut que tu viennes! se lamenta Hanna.

Le jeune homme soupira.

— D'accord, soupira-t-il à contrecœur. Je suppose que Noel m'en voudrait si je ne passais pas.

— Il ne serait pas le seul!

— Je sais. Bon, il faut que j'y aille. On se voit demain.

— Sean, attends..., commença Hanna.

Mais le jeune homme avait déjà raccroché.

Hanna ouvrit la porte. Il *fallait* que Sean vienne à cette soirée. Elle lui avait concocté un plan romantique à toute épreuve : elle l'emmènerait dans les bois derrière chez les Kahn, ils s'avoueraient leurs sentiments et feraient l'amour. Le vœu de chasteté ne s'appliquait certainement pas aux gens amoureux. Et puis, les bois des Kahn étaient légendaires. Ils étaient surnommés la « Forêt de la Virilité » en raison du nombre de garçons qui y avaient perdu leur virginité. On racontait que les arbres chuchotaient des secrets cochons aux nouvelles recrues.

Hanna s'arrêta devant le miroir du hall et souleva son chemisier pour regarder son ventre plat aux abdominaux dessinés. Elle pivota pour examiner son petit cul bien ferme, puis se pencha en avant pour examiner son visage dans la glace. Les plaques rouges de la veille avaient disparu. Elle grimaça pour découvrir ses dents. Une de ses incisives du bas chevauchait légèrement la canine voisine. Est-ce que ça avait toujours été le cas ?

Jetant son sac à main en cuir doré sur la table de la cuisine, elle ouvrit le congélateur. Sa mère n'achetait jamais de Ben & Jerry's, elle devrait se contenter de gâteaux fourrés à la crème glacée allégée en sucre Tofutti Cuties. Elle en sortit trois et déballa fébrilement le premier. Dès la première bouchée, elle sentit dans son estomac ce vide béant qui ne réclamait qu'à être comblé.

— Prends une autre profiterole, Hanna, lui avait chuchoté Ali le jour où elles avaient été voir son père à Annapolis. (Puis elle s'était tournée vers Kate, la fille de la nouvelle petite amie de son père, et avait affirmé) Hanna a beaucoup de chance, elle peut manger n'importe quoi sans prendre un seul gramme !

Bien entendu, c'était complètement faux. À l'époque, Hanna était déjà grassouillette et prenait un peu plus de poids chaque jour. Voilà pourquoi cette remarque lui avait paru si blessante. Kate avait gloussé, et Ali – qui était pourtant censée être du côté d'Hanna – avait ri elle aussi.

— Je t'ai rapporté quelque chose.

Hanna sursauta. Sa mère était assise devant la petite table de téléphone, en brassière Champion fuchsia et pantalon de yoga noir.

160

— Oh! souffla Hanna.

Mme Marin détailla sa fille, et son regard s'arrêta sur les gâteaux à la crème glacée qu'elle tenait à la main.

— Trois, ça ne fait pas un peu beaucoup? s'enquit-elle.

Hanna baissa les yeux. Sans s'en rendre compte, elle avait englouti son premier Tofutti Cuties en moins de dix secondes, sans même le savourer, et avait déjà déballé le second. Avec un faible sourire, elle remit très vite le gâteau restant dans le congélateur.

En se retournant, sa mère posa un sac bleu de chez Tiffany sur la table. Hanna le fixa d'un air interrogateur.

— Qu'est-ce que c'est?

— Ouvre-le.

Dans le sac, il y avait une boîte bleue, et à l'intérieur de la boîte bleue, une parure complète de bijoux à breloques : le bracelet, les boucles d'oreilles et le collier. Du même modèle que ceux qu'Hanna avait dû rendre à la vendeuse au commissariat. La jeune fille les souleva pour les admirer dans la lumière du soleil.

— Wouah!

Mme Marin haussa les épaules.

— De rien.

Puis, pour signifier que la discussion était close, elle se retira dans le salon, déroula son tapis de sol et mit son DVD de power yoga.

Perplexe, Hanna reposa lentement les boucles d'oreilles dans leur écrin. Parfois, sa mère était vraiment bizarre.

Elle remarqua alors une enveloppe crème, posée sur la table du téléphone. Son nom et son adresse y étaient inscrits en lettres capitales. Elle sourit. Une invitation à une bonne soirée, voilà exactement ce dont elle avait besoin pour se remonter le moral.

— Inspirez par le nez, expirez par la bouche, recommandait la prof de yoga d'une voix apaisante.

Mme Marin se tenait sur son tapis, les bras ballants et l'air serein. Elle ne bougea même pas quand son BlackBerry entama *Le Vol du bourdon*, signalant la réception d'un e-mail. C'était son moment de détente ; elle ne laisserait rien ni personne le gâcher.

Hanna prit l'enveloppe et monta dans sa chambre. Elle s'assit sur son lit à baldaquin, lissa ses draps tissés d'une incroyable quantité de fils et sourit à Dot, qui dormait tranquillement dans son propre petit lit Gucci.

— Viens ici, Dot, chuchota-t-elle.

Dot s'étira et lui grimpa maladroitement dans les bras. Hanna soupira. Il s'agissait peut-être simplement de symptômes prémenstruels. Dès que ses règles seraient passées, elle se sentirait beaucoup moins à cran.

Elle glissa un doigt sous le rabat de l'enveloppe et l'ouvrit. Ce n'était pas une invitation, mais un message absurde.

Hanna,

Tu n'es même pas la préférée de ton père !

— A

Elle fronça les sourcils. Qu'est-ce que cela pouvait bien vouloir dire ?

Lorsqu'elle déplia la feuille de papier qui accompagnait le message, elle laissa échapper un petit cri. C'était une sortie couleur d'un bulletin d'information Internet d'une école privée. Elle connaissait les gens sur la photo. La légende disait : « Kate Randall, porte-parole des élèves du lycée Barnbury. Ici en compagnie de sa mère, Isabel Randall, et du fiancé de Mme Randall, Tom Marin. »

Hanna cligna des yeux très vite. Son père n'avait pas changé depuis la dernière fois qu'elle l'avait vu. Et même si son cœur s'était serré à la vue du mot « fiancé » – à quand

162

est-ce que cela remontait ? –, c'était surtout l'image de Kate qui lui faisait le plus mal. Plus parfaite que jamais, le teint radieux et la coiffure impeccable, elle enlaçait sa mère et le père d'Hanna avec un sourire rayonnant.

Hanna n'oublierait jamais la première fois qu'elle avait vu Kate. Ali et elle venaient juste de descendre de l'Amtrak à Annapolis. Au début, l'adolescente n'avait aperçu que son père appuyé contre le capot de sa voiture. Puis la portière s'était ouverte, et Kate était sortie. Elle avait de longs cheveux châtains raides et brillants, et se tenait comme une jeune fille qui pratiquait la danse classique depuis l'âge de deux ans.

Hanna n'avait eu qu'une envie : se cacher. Baissant les yeux vers son jean qui la boudinait et son pull en cachemire distendu, elle avait tenté de ne pas hyperventiler. *C'est pour ça que papa est parti*, avait-elle pensé. *Il voulait une fille qui ne lui fasse pas honte.*

— Oh, mon Dieu..., chuchota-t-elle, examinant l'enveloppe en quête de l'adresse de l'expéditeur.

Mais il n'y avait rien. Elle réalisa alors que la seule personne au courant pour Kate était Alison. Son regard se posa sur le « A » au bas du message.

Le Tofutti Cuties lui pesait sur l'estomac. Elle se précipita dans la salle de bains et saisit la brosse à dents de rab dans le pot en céramique près du lavabo. Puis elle s'agenouilla devant les toilettes et attendit. Des larmes perlèrent au coin de ses yeux. *Ne recommence pas*, se blâma-t-elle en agrippant la brosse à dents. *Tu vaux mieux que ça.*

Elle se releva et se regarda dans le miroir. Son visage était rouge, ses cheveux en désordre, ses yeux bouffis et injectés de sang. Lentement, elle remit la brosse à dents dans le pot.

— Je suis Hanna et je suis fabuleuse, déclara-t-elle à son reflet.

Mais elle ne semblait pas le moins du monde convaincue.

$\mathcal{U}$NE VRAIE BASSE-COUR

— D'accord. (Aria souffla pour écarter sa longue frange qui lui tombait devant les yeux.) Dans cette scène, tu dois porter une passoire sur la tête et parler d'un bébé que nous n'avons pas.

Noel fronça les sourcils et porta son pouce à ses lèvres roses et charnues.

— Pourquoi faut-il que je me mette une passoire sur la tête, la Finlandaise ?

— Parce que c'est du théâtre de l'absurde, répondit Aria. Donc, c'est censé être absurde.

Noel grimaça.

— Pigé.

C'était le vendredi matin. Ils étaient assis sur leurs pupitres en salle d'anglais. Après le désastre d'*En attendant Godot*, la veille, Ezra leur avait demandé de former des binômes et d'écrire leur propre pièce existentialiste. Or, « existentialiste » était synonyme de complètement déjanté – et si quelqu'un pouvait faire dans le déjanté, c'était bien Aria.

— Je sais ce qu'on pourrait faire, lança Noel. Un des personnages pourrait conduire une Navigator. Après avoir bu deux ou trois bières, il l'enverrait valdinguer dans sa mare aux canards. Mais comme il se serait endormi au volant, il ne s'en apercevrait pas avant le lendemain, et en se réveillant, sa Navigator serait pleine de canards.

Aria se rembrunit.

— Comment veux-tu mettre ça en scène? Ça paraît impossible.

Noel haussa les épaules.

— Je ne sais pas. Mais ça m'est arrivé l'an dernier, et c'était vraiment absurde. Et génial.

Aria soupira. Elle n'avait pas choisi Noel comme partenaire pour ses talents de co-auteur. Elle chercha Ezra du regard. Malheureusement, le jeune homme n'était pas en train de les observer en bouillonnant de jalousie.

— Et si l'un des personnages se prenait pour un canard? suggéra-t-elle. Il pourrait faire « coin-coin » de temps en temps.

— Euh... Si tu veux. (Noel nota l'idée sur une feuille de papier avec un Montblanc au capuchon mâchonné.) Hé, on pourrait peut-être filmer ça avec la caméra Canon DV de mon père? Et en faire un court métrage plutôt qu'une pièce chiante?

Aria réfléchit.

— C'est vrai que ça pourrait être cool, lui accorda-t-elle.

Noel sourit.

— Dans ce cas, on peut garder la scène avec la Navigator!

— Je suppose que oui.

Aria se demanda si les Kahn avaient vraiment une Navigator à sacrifier. Ça ne paraissait pas improbable.

Noel donna un coup de coude à Mason Byers, qui était en binôme avec James Freed.

— Hé mon pote, il y aura une Navigator dans notre pièce ! Et des explosions !

Aria sursauta.

— Comment ça, des explosions ?

— Pas mal, approuva Mason.

Aria pinça les lèvres. Franchement, elle n'avait pas d'énergie à perdre avec ces conneries. Elle n'avait pas beaucoup dormi. Obsédée par le message codé reçu la veille, elle avait passé la moitié de la nuit à tricoter frénétiquement un bonnet à oreillettes violet.

C'était affreux de penser que quelqu'un était au courant, non seulement pour Ezra et elle, mais pour son père et Meredith. Et si le fameux « A » se mettait à envoyer des messages à sa mère ? Et s'il l'avait déjà fait ? Aria ne voulait pas qu'Ella découvre l'infidélité de son mari – pas maintenant, et pas de cette façon.

Mais surtout, elle n'arrivait pas à se défaire de l'idée que derrière ce « A » se cachait peut-être Alison. Trop peu de gens étaient au courant pour son père, éventuellement quelques autres profs et Meredith, évidemment. Néanmoins, ils ne connaissaient pas Aria.

Si Alison était l'auteur du message, ça signifiait qu'elle était en vie... ou pas. Son fantôme aurait facilement pu se glisser par les interstices de la porte des toilettes des femmes du Snookers. Et il arrivait parfois que l'esprit des morts entre en contact avec les vivants pour se faire pardonner, pas vrai ? Comme un dernier examen à passer avant d'être admis au paradis.

Mais si Alison avait besoin de se faire pardonner, elle aurait dû s'adresser à quelqu'un qui avait de meilleures raisons de lui en vouloir. Jenna, par exemple. Aria se couvrit les yeux de ses mains comme pour empêcher ce souvenir de resurgir. Les psychologues prétendaient que chacun devait affronter ses démons. Qu'ils aillent se faire foutre! Aria ne voulait repenser ni à l'affaire Jenna, ni à son père et Meredith.

Elle soupira. Dans des moments comme celui-là, elle regrettait de s'être éloignée de ses anciennes amies. Hanna ne se trouvait qu'à quelques mètres d'elle, trois pupitres plus loin. Si seulement elle avait pu lui parler, lui poser des questions sur Ali… Mais Hanna avait tellement changé! Aria se demandait s'il ne serait pas plus facile de s'entretenir avec Spencer ou Emily.

— Coucou.

Elle releva la tête. Ezra se tenait devant elle.

— Coucou, murmura-t-elle.

À la vue des yeux bleus du jeune homme, son cœur se serra.

Ezra se dandina, mal à l'aise.

— Comment ça va?

— Euh… bien. Très bien, même.

Aria se redressa. Dans l'avion qui la ramenait aux États-Unis, elle avait lu dans le dernier *Seventeen* que les garçons aimaient les filles positives et enthousiastes. Et puisque le coup de l'intello n'avait pas fonctionné la veille, pourquoi ne pas tenter de se la jouer exaltée?

Ezra faisait rentrer et sortir la mine de son Bic rétractable.

— Écoute, je suis désolé de t'avoir interrompue au milieu de ton exposé hier. Si tu me donnes tes fiches, j'y jetterai un coup d'œil pour te mettre une note.

— Euh… d'accord. (Aurait-il fait ça pour une autre élève?) Alors… comment ça va? demanda Aria en se donnant beaucoup de mal pour ne pas le tutoyer.

— Bien, lui répondit-il en souriant.

Il ouvrit la bouche comme s'il voulait ajouter quelque

chose, mais il se ravisa et, posant les mains sur le pupitre d'Aria, se pencha pour regarder son cahier.

— Vous travaillez sur quoi?

Aria fixa ses mains un moment et avança son petit doigt jusqu'à celui du jeune homme. Elle voulut faire passer ça pour un incident, mais Ezra ne réagit pas. Elle eut l'impression de sentir de l'électricité circuler entre leurs deux auriculaires.

— Monsieur Fitz! (Au fond de la classe, Devon Arliss agitait la main.) J'ai une question à vous poser.

— J'arrive, dit Ezra en se redressant.

Aria porta à sa bouche le doigt qui avait été en contact avec celui du jeune homme. Elle le suçota un moment en observant Ezra et en espérant que ce dernier reviendrait vers elle. Mais il n'en fit rien.

Très bien. Elle se rabattrait donc sur son plan J comme « Jalousie ». Se tournant vers Noel, elle lança :

— Je pense qu'il faudrait insérer une scène de sexe dans notre film.

Elle avait parlé très fort, mais Ezra était toujours penché sur le pupitre de Devon.

— Bonne idée! acquiesça Noel avec enthousiasme. Le type qui se prend pour un canard a une touche?

— Oui. Avec une nana qui embrasse comme une oie, répondit Aria.

Noel éclata de rire.

— Et comment ça embrasse, une oie?

Aria pivota vers le fond de la classe. Ezra s'était retourné vers eux. Parfait.

— Comme ça.

Elle se pencha et fit claquer un baiser sur la joue de Noel. Le jeune homme sentait étonnamment bon – le baume à raser Blue Eagle de Kiehl's, lui semblait-il.

— Pas mal, chuchota-t-il.

Occupés par leurs discussions animées, les autres élèves n'avaient rien remarqué. Mais près du pupitre de Devon, Ezra se figea.

— Tu sais que j'organise une soirée aujourd'hui ? demanda Noel en posant sa main sur le genou d'Aria.

— Oui, j'en ai entendu parler.

— Tu devrais venir. Il y aura plein de bière – et aussi des tas d'autres alcools. Du scotch, par exemple. Mon père les collectionne. Tu aimes le scotch ?

— J'adore.

Aria sentait le regard d'Ezra lui brûler le dos. Elle se pencha vers Noel.

— D'accord, je viendrai volontiers.

Le Bic d'Ezra lui échappa des mains et tomba par terre. *Inutile de me demander s'il m'a entendue ou non,* songea Aria, satisfaite.

18

OÙ EST PASSÉE NOTRE VIEILLE EMILY ET QU'EN AS-TU FAIT?

— Tu vas à la soirée des Kahn tout à l'heure? demanda Carolyn en garant la Volvo dans l'allée de leur garage.

Emily était occupée à démêler ses cheveux encore mouillés.

— Je ne sais pas.

Ce jour-là à l'entraînement, Ben et elle n'avaient pas échangé deux mots; elle n'était pas sûre que le jeune homme veuille encore l'accompagner.

— Et toi?

— Je ne sais pas non plus, répondit sa sœur. J'irai peut-être juste manger un bout chez Applebee's avec Topher.

Hésiter entre une soirée sensationnelle et un steak chez Applebee's : c'était du Carolyn tout craché.

Les deux filles claquèrent les portières de la Volvo et remontèrent le chemin dallé qui conduisait à leur maison de style colonial. Vieille d'à peine trente ans, la bâtisse n'était ni aussi grande ni aussi luxueuse que la plupart des maisons de Rosewood. La peinture bleue des bardeaux s'écaillait un peu, certaines pierres du chemin avaient disparu, et le salon de jardin avait connu des jours meilleurs.

Mme Fields accueillit ses deux filles dans l'entrée, le téléphone sans fil à la main.

— Emily, il faut que je te parle.

Emily jeta un coup d'œil à Carolyn, qui rentra la tête dans les épaules et fila à l'étage. *Oh oh.*

— Qu'y a-t-il?

Sa mère lissa le devant de son pantalon à pinces gris.

— Lauren a appelé. Elle dit que tu sembles avoir la tête ailleurs en ce moment, que tu n'arrives pas à te concentrer sur ce que tu fais. Et que tu as raté l'entraînement mercredi.

Emily déglutit.

— Il a fallu que je donne des cours de soutien d'espagnol à des élèves de ma classe.

— C'est ce que m'a dit Carolyn. C'est pourquoi j'ai appelé Mlle Hernandez, annonça sa mère.

Emily fixa le bout de ses Vans vertes. Mlle Hernandez était la prof chargée d'organiser les séances de soutien.

— Ne me mens pas, Emily. (Mme Fields fronça les sourcils.) Où étais-tu?

Emily entra dans la cuisine et se laissa tomber sur une chaise. Sa mère était quelqu'un de rationnel. Elle pouvait lui parler de ses doutes.

Elle tripota la boucle en argent qui ornait le haut de son oreille. Des années auparavant, Ali lui avait demandé de l'accompagner quand elle avait été se faire percer le nombril, et les deux filles avaient également fini par se faire percer le cartilage de l'oreille. Emily portait toujours le même petit anneau en argent. Ali lui avait offert des cache-oreilles panthère pour dissimuler son forfait. Elle les mettait encore l'hiver, les jours de grand froid.

— Écoute, confessa-t-elle enfin. J'ai juste passé un peu de temps avec la nouvelle, Maya. Elle est vraiment sympa. On est amies.

— Pourquoi tu ne l'as pas vue après l'entraînement, ou ce week-end? répliqua sa mère, perplexe.

— Je ne vois vraiment pas pourquoi tu en fais tout un plat. J'ai manqué une séance de piscine, la belle affaire! Je me rattraperai samedi – promis.

Sa mère pinça les lèvres et s'assit face à elle.

— Mais, Emily... Je ne comprends pas. En t'inscrivant dans l'équipe de natation cette année, tu as pris un engagement. Tu ne peux pas partir t'amuser avec tes amies quand tu es censée t'entraîner.

— En m'inscrivant? s'exclama Emily. À t'écouter, on dirait que j'ai eu le choix!

— Que se passe-t-il? Tu me parles sur un drôle de ton et tu me mens sur ce que tu fais après les cours... (Sa mère secoua la tête.) C'est la première fois que ça t'arrive.

— Maman...

Emily s'interrompit. Tout à coup, elle se sentait très lasse. Elle avait envie de dire que non, ça n'était pas la première fois. De toute sa petite bande de 5ᵉ, elle était la plus sage, mais ça ne l'avait pas empêchée de faire un tas de choses dont sa mère n'avait jamais rien su. Comme son piercing au cartilage ou sa participation à l'affaire Jenna.

Elle avait d'abord cru que la disparition d'Ali était sa faute – une sorte de punition divine pour avoir secrètement désobéi à ses parents. Depuis, elle tentait de se conduire en fille modèle pour conjurer le sort.

— Je voudrais juste savoir ce qui t'arrive, insista Mme Fields.

Emily posa ses mains sur le set de table posé devant elle. Elle se remémorait la façon dont elle était devenue cette personne qui ne lui ressemblait pas vraiment. Ali n'avait pas disparu parce qu'elle s'était mal conduite, elle s'en rendait compte à présent. Et de la même façon qu'elle ne supporterait pas de se faire peloter toute la soirée par Ben sur un canapé qui grattait, elle ne s'imaginait pas passer ses deux dernières années de lycée – et les quatre ans de fac qui suivraient – à barboter dans une piscine plusieurs heures par jour.

Pourquoi ne pouvait-elle pas simplement... être elle-même ? Son temps serait-il vraiment plus mal employé à étudier ou, que Dieu lui pardonne, à s'amuser pour changer un peu ?

— Tu veux savoir ce qui m'arrive ? commença-t-elle en repoussant ses cheveux en arrière. (Elle prit une profonde inspiration.) Je ne pense pas vouloir continuer la natation.

Un tic nerveux fit cligner l'œil droit de Mme Fields. Ses lèvres s'entrouvrirent légèrement. Puis elle pivota vers le frigo et fixa tous les aimants en forme de poulet qui recouvraient la porte. Elle se tut un moment, mais Emily vit ses épaules trembler.

Enfin, elle fit de nouveau face à sa fille. Elle avait les yeux rouges et les traits tirés, comme si elle venait de prendre dix ans en une minute.

— J'appelle ton père. Lui, il arrivera à te raisonner.

— Ma décision est déjà prise, contra Emily.

Et elle fut la première surprise de réaliser que c'était bien le cas.

— Bien sûr que non, dit sèchement sa mère. Tu ne sais pas ce qui est bon pour toi.

— Maman !

Emily sentit les larmes lui monter aux yeux. Elle trouvait triste et effrayant que sa mère lui en veuille à ce point, mais elle éprouvait une sensation comparable à celle que l'on ressent en enlevant un énorme anorak en pleine canicule.

La bouche de sa mère tremblait.

— C'est à cause de ta nouvelle amie?

Emily frémit et s'essuya le nez.

— Hein? Qui?

Mme Fields soupira.

— La fille qui vient d'emménager dans l'ancienne maison des DiLaurentis. C'est pour passer du temps avec elle que tu as séché l'entraînement, pas vrai? Qu'avez-vous fait toutes les deux?

— On... on s'est promenées sur le sentier de randonnée, chuchota Emily. Et on a parlé.

Sa mère baissa les yeux.

— Je n'aime pas beaucoup... ce genre de fille.

Quoi? Emily fixa sa mère sans comprendre. Elle savait? Mais comment? Elle n'avait même pas rencontré Maya. Était-il possible de deviner ces choses-là rien qu'en regardant une personne?

— Maya est très gentille, parvint à balbutier Emily. J'ai oublié de te le dire, mais elle a adoré tes brownies. Elle te remercie.

Mme Fields pinça les lèvres.

— Je suis allée chez ses parents. Je voulais me comporter en bonne voisine. Mais ça... c'est trop. Elle a une mauvaise influence sur toi.

— Je ne...

— S'il te plaît, Emily! coupa sa mère.

Les protestations de la jeune fille s'étranglèrent dans sa gorge.

Mme Fields soupira.

— Il y a trop de différences culturelles entre vous. Je ne vois vraiment pas ce que tu lui trouves. Vous n'avez rien en commun. Et qui sait d'où viennent ses parents? Qui sait le genre de vie qu'ils mènent?

— Pardon?

Emily fixa sa mère, abasourdie. D'après ce qu'elle avait compris, le père de Maya était ingénieur et sa mère infirmière. Son frère, en terminale à l'Externat de Rosewood, était un prodige du tennis, leurs parents lui faisaient construire un court derrière la maison pour qu'il puisse s'entraîner. Et qu'est-ce que la famille de Maya venait faire là-dedans?

— Je n'ai pas confiance en ces gens, c'est tout, insista Mme Fields. Je sais que ça peut sembler rétrograde et obtus de ma part, mais c'est comme ça.

« *Sa famille* ». « *Différences culturelles* ». « *Ces gens* ». La jeune fille repassa dans sa tête tout ce que sa mère venait de dire, ces mots résonnaient désagréablement.

Oh. Mon. Dieu.

Mme Field n'était pas bouleversée parce qu'elle pensait que Maya était lesbienne, mais parce que Maya et le reste de sa famille étaient noirs.

19

CHAUD-BOUILLANT

Le vendredi soir, Spencer était allongée sur son lit à baldaquin en bois d'érable au milieu de sa nouvelle chambre à coucher, dans la grange aménagée. Les reins enduits d'une pommade anti-inflammatoire, elle fixait les poutres du plafond. Jamais on n'aurait pu deviner qu'un demi-siècle plus tôt, des vaches vivaient ici. La pièce était immense, avec quatre fenêtres gigantesques et un petit patio. La veille après le dîner, Spencer y avait amené tous ses cartons et tous ses meubles. Elle avait rangé ses livres et ses CD par ordre alphabétique d'auteur ou d'artiste, avait branché sa stéréo et reprogrammé le magnétoscope pour enregistrer tous les programmes qu'elle aimait, y compris sa nouvelle chaîne préférée BBC America. Tout était parfait.

À l'exception, bien entendu, de la douleur qui l'élançait dans le dos. Son corps était meurtri comme si elle avait fait du saut à l'élastique avec une corde ordinaire. Ian leur avait fait courir cinq kilomètres avant le début des exercices habituels. Les autres filles de l'équipe ne parlaient que de ce qu'elles allaient porter à la soirée de Noel Kahn, mais après un entraînement aussi mortel, Spencer avait l'intention de rester chez elle avec ses devoirs de maths. D'autant plus que son nouveau « chez elle » était un endroit de rêve.

Saisissant le tube de pommade, la jeune fille se rendit compte qu'il était vide. Elle s'assit lentement, en se tenant les reins comme une vieille femme. Elle n'avait pas le choix : il fallait qu'elle aille en chercher chez ses parents. Elle adorait le fait que cette maison soit désormais celle de ses parents et non plus la sienne. Ça lui donnait l'impression d'être terriblement adulte.

Tandis qu'elle traversait la pelouse, elle laissa son esprit vagabonder et revenir à l'une de ses préoccupations actuelles. Certes, elle était soulagée que « A » soit Andrew et non Alison, et certes, elle se sentait mille milliards de fois moins sur les nerfs que la veille, mais quand même ! C'était horrible d'espionner les gens.

Comment ce gros naze avait-il osé lui envoyer un e-mail aussi flippant et lui poser des questions aussi personnelles à la bibliothèque ? Dire que tout le monde le trouvait si gentil et si bien élevé avec son nœud de cravate toujours impeccable et son teint radieux. C'était le genre de type à amener sa lotion hypoallergénique au lycée pour se nettoyer après le cours de sport.

Spencer monta à l'étage et referma la porte de la salle de bains derrière elle. Elle prit la pommade dans l'armoire à pharmacie, baissa son pantalon de fitness Nuala Puma, se positionna dos au miroir et, tordant le cou, entreprit de s'enduire les reins et l'arrière des cuisses. L'odeur mentholée du baume emplit aussitôt la pièce. Elle ferma les yeux.

La porte s'ouvrit à la volée. Spencer remonta précipitamment son pantalon.

— Oh mon Dieu…, s'étrangla Wren, les yeux écarquillés. Je ne… Merde! Je suis désolé.

— Ce n'est pas grave, dit Spencer en tentant de renouer le cordon autour de sa taille.

Wren portait sa tenue bleue de l'hôpital : un haut drapé avec un col en V et un pantalon large qui ressemblait à un bas de pyjama. Il avait l'air prêt à aller au lit.

— J'ai encore du mal à m'y retrouver dans cette maison, s'excusa-t-il. Elle est si grande! J'ai cru que c'était notre chambre.

— Oh, ça arrive tout le temps, lui assura Spencer, même s'il s'agissait de toute évidence d'un gros mensonge.

Wren s'immobilisa sur le seuil. Spencer sentit qu'il la regardait. Elle baissa très vite les yeux pour s'assurer qu'elle n'avait pas un sein à l'air.

— Alors, comment est la grange? demanda le jeune homme.

Spencer sourit puis, par réflexe, se couvrit la bouche de la main. L'année précédente, elle s'était fait blanchir les dents et s'était retrouvée avec des incisives qui brillaient presque dans le noir. Elle avait dû boire des tonnes de café pour leur redonner une teinte un peu plus naturelle.

— Géniale. Et comment est la chambre de jeune fille de ma sœur?

Wren eut un sourire narquois.

— Très… rose.

— Et tous ces rideaux à volants, grimaça Spencer.

— J'ai trouvé un CD qui m'a pas mal perturbé, ajouta Wren sur un ton faussement inquiet.

— Lequel?

— La BO du *Fantôme de l'Opéra*.

— Je croyais que tu aimais le théâtre, rétorqua Spencer sans réfléchir.

— Shakespeare et ce genre de trucs, oui. (Wren haussa un sourcil.) Comment le sais-tu?

Spencer pâlit. Elle ne pouvait pas lui dire qu'elle avait fait une recherche dans Google. Mal à l'aise, elle s'adossa au lavabo. Une vive douleur lui embrasa les reins. Elle frémit.

— Qu'est-ce qui t'arrive? s'enquit Wren.

— Bah, comme d'habitude. Je me suis ruiné le dos à l'entraînement de hockey, répondit-elle en se penchant vers le lavabo.

— Qu'est-ce que tu t'es fait cette fois?

— Probablement un claquage. Tu vois la pommade?

La jeune fille en prit un peu du bout des doigts et glissa sa main à l'intérieur de son pantalon pour l'appliquer sur sa cuisse. Elle poussa un léger grognement en espérant que Wren trouverait ça sexy. Bon d'accord, elle faisait un peu de cinéma – et alors?

— Tu veux que je t'aide?

Spencer hésita. Mais Wren avait vraiment l'air soucieux. Et c'était assez douloureux – ou en tout cas, pénible – de se tordre le cou devant la glace.

— Si ça ne te dérange pas, répondit-elle tout bas. Je veux bien.

Du pied, elle repoussa la porte. Puis elle étala le baume qui lui restait dans la main sur celle de Wren. La façon dont ses doigts glissaient sur ceux du jeune homme... c'était affreusement sexy. Elle aperçut leurs deux silhouettes dans le miroir et frissonna. Ils allaient vraiment bien ensemble.

— Alors, où as-tu mal? interrogea Wren.

Spencer désigna le muscle sous sa fesse droite.

— Attends, murmura-t-elle.

Saisissant un drap de bain, elle l'enroula autour de sa taille, puis ôta son pantalon et fit signe à Wren de passer par-dessous.

— Mais… euh… essaye de ne pas trop en mettre dessus. J'ai supplié ma mère de commander ces serviettes en France il y a deux ans, et cette crème les bousille complètement. L'odeur ne part pas au lavage.

Elle entendit Wren étouffer un gloussement et se raidit. Voilà tout à fait le genre de remarque coincée qu'aurait pu faire Melissa. Qu'est-ce qui lui avait pris?

De sa main propre, Wren repoussa ses cheveux en arrière. Puis il s'agenouilla et appliqua le baume sur la peau de Spencer. Il glissa ses deux mains sous le drap de bain et se mit à lui masser doucement la jambe, avec des mouvements circulaires.

La jeune fille se détendit et se pencha légèrement vers lui. Wren se releva mais ne recula pas. Elle sentit son souffle sur son épaule, puis sur son oreille. Il lui semblait tout à coup que sa peau était en feu.

— Tu te sens mieux? murmura Wren.

— Tes mains font des miracles.

Elle ne savait pas trop si elle l'avait dit à voix haute ou non.

Je devrais le faire, songea-t-elle. *Je devrais l'embrasser.* Le jeune homme accentua un peu la pression de ses mains, et elle sentit ses ongles lui racler la peau. Son cœur battait la chamade.

Le téléphone sonna dans le couloir.

— Wren? appela Mme Hastings depuis le rez-de-chaussée. Tu es là-haut? Melissa est en ligne, elle veut te parler.

Wren fit un bond en arrière. Spencer rajusta vivement le drap de bain autour de sa taille tandis que le jeune homme essuyait ses mains couvertes de pommade sur une autre serviette. Elle était trop paniquée pour l'en empêcher.

— Hum…, marmonna Wren.

Spencer détourna les yeux.

— Tu devrais...

— Oui.

Wren poussa la porte et sortit en jetant par-dessus son épaule :

— J'espère que ça t'aura soulagée.

— Oui. Merci beaucoup, murmura Spencer.

Elle referma la porte derrière lui, puis s'affala contre le lavabo et fixa son reflet dans le miroir.

Du coin de l'œil, elle aperçut quelque chose qui bougeait derrière elle. Un instant, elle crut que quelqu'un se tenait près de la baignoire. Elle se retourna. Mais ce n'était que le rideau de douche, agité par la petite brise qui entrait par la fenêtre ouverte.

Spencer reporta son attention sur le miroir.

Un peu de crème était tombée sur le bord du lavabo. Blanc et gluant, il ressemblait à du glaçage. Du bout de l'index, la jeune fille y écrivit le nom de Wren. Puis elle dessina un cœur autour.

Un instant, elle envisagea de le laisser tel quel. Mais quand elle entendit Wren s'éloigner dans le couloir en disant : « Coucou mon amour. Tu m'as manqué aujourd'hui », elle fronça les sourcils et effaça tout du plat de la main.

20

TOUT CE DONT EMILY A BESOIN, C'EST D'UN SABRE-LASER ET D'UN CASQUE NOIR

La nuit commençait à tomber quand Emily monta dans la Jeep Cherokee verte de Ben.

— Merci d'avoir convaincu mes parents de reporter ma punition à demain.

— Pas de problème, répondit le jeune homme.

Pour autant, il ne l'embrassa pas pour lui dire bonjour. Et il avait mis Fall Out Boy à fond alors qu'il savait qu'elle détestait ce groupe.

— Ils sont plus ou moins en rogne contre moi.

— C'est ce que j'avais cru comprendre, oui, acquiesça Ben sans quitter la route des yeux.

Elle trouvait bizarre qu'il ne demande pas pourquoi. Peut-être le savait-il déjà. Curieusement, le père d'Emily était entré dans sa chambre un peu plus tôt et lui avait dit :

— Ben passe te prendre dans vingt minutes. Prépare-toi.

Emily s'était cru consignée à vie dans sa chambre pour

avoir blasphémé contre les dieux de la natation, mais à présent il lui semblait que ses parents tenaient à ce qu'elle sorte avec Ben. Ils espéraient peut-être que le jeune homme parviendrait à la faire changer d'avis.

Elle poussa un soupir.

— Désolée pour l'entraînement, hier. J'étais stressée.

Ben consentit enfin à baisser le son.

— Ça va aller. Tu es juste un peu paumée, ça passera.

Emily passa sa langue sur ses lèvres enduites de baume hydratant. *Paumée ? À quel sujet ?*

— Je te pardonne pour cette fois, ajouta Ben en lui tendant la main.

Emily se hérissa. *Pour cette fois ?* Et n'aurait-il pas dû s'excuser lui aussi ? Après tout, il était parti bouder dans les vestiaires comme un gamin.

La Cherokee franchit le portail en fer forgé de la propriété des Kahn. Celle-ci était située un peu en retrait de la route, de sorte que l'allée faisait presque un kilomètre de long et était encadrée par de grands pins touffus. Ici, même l'air semblait plus frais, plus propre.

La maison de briques rouges se dressait derrière des colonnes doriques massives. Elle était flanquée d'un portique que surmontait une statuette de cheval et d'une magnifique véranda entièrement vitrée. Emily compta quatorze fenêtres au premier étage de la façade.

Mais ce soir-là, la maison n'avait aucune importance. La soirée avait lieu en extérieur, derrière le mur de pierre et des haies taillées à l'anglaise qui délimitaient la partie habitation de la propriété. Là s'étendait un champ de plusieurs hectares occupé pour moitié par l'élevage de chevaux des Kahn, pour l'autre par une gigantesque pelouse et par une mare aux canards. L'ensemble était entouré d'un bois assez dense.

Comme Ben se garait dans le parking improvisé, Emily

descendit de voiture et fut aussitôt agressée par la musique tonitruante de The Killers. Partout autour d'elle, des invités au visage familier jaillissaient de leur Jeep, Cadillac ou autre Saab.

Un groupe de filles délicieusement maquillées sortirent des paquets de cigarettes de leur petit sac à chaînette dorée et s'en allumèrent une, tout en bavardant dans leur minuscule téléphone portable. Emily baissa les yeux vers ses Converse bleues usées et porta une main à ses cheveux hâtivement attachés en queue-de-cheval.

Ben la rattrapa. Ils franchirent les haies, coupèrent à travers le bois et pénétrèrent dans la partie du champ où se tenait la soirée. Il y avait beaucoup de jeunes qu'Emily ne connaissait pas, car en plus de leurs camarades de l'Externat de Rosewood, les Kahn invitaient tous les élèves un peu en vue des autres établissements privés de la région.

Une grande table à tréteaux avait été installée près des buissons. Elle était couverte de bouteilles, de verres et de fûts de bière. Une piste de danse en bois, entourée de tentes et de flambeaux, occupait le milieu de l'espace. Du côté opposé, à la lisière des bois, se dressait une vieille cabine de Photomaton éclairée par des guirlandes lumineuses. Chaque année, les Kahn la remontaient de la cave à l'occasion de cette soirée.

Noel accueillit Ben et Emily. Il portait un T-shirt gris sur lequel était marqué : DEMANDEZ-MOI DE VOUS MONTRER MES MUSCLES, un jean déchiré, et il était pieds nus. Il leur tendit une bière à chacun.

— Santé.

— Merci, mon pote. (Ben prit son gobelet en plastique et but une gorgée. Un peu de mousse ambrée lui coula sur le menton.) Chouette soirée.

Quelqu'un tapa sur l'épaule d'Emily. La jeune fille se retourna. C'était Aria Montgomery, vêtue d'un T-shirt rouge délavé de l'Université islandaise, d'une minijupe en jean effilochée et de santiags rouges. Elle avait relevé ses longs cheveux noirs en queue-de-cheval haute.

— Wouah... Salut! (Emily avait entendu dire qu'Aria était revenue à Rosewood, mais elle ne l'avait pas encore croisée au lycée.) Comment c'était, l'Europe?

— Fabuleux.

Aria sourit. Les deux filles se fixèrent pendant quelques secondes. Emily voulait féliciter Aria d'avoir renoncé à ses mèches roses et à son faux piercing dans le nez, mais elle craignait que ce ne soit embarrassant de faire allusion à leur ancienne amitié. Aussi but-elle une gorgée de bière en faisant semblant d'être captivée par les rainures de son gobelet.

Aria se dandina.

— Je suis contente que tu sois là. Je voulais te parler.

— Ah bon?

Surprise, Emily leva les yeux vers elle, puis les rebaissa très vite.

— À toi, ou à Spencer, précisa Aria.

— Vraiment?

Emily sentit son cœur se serrer. *Spencer?*

— Promets-moi de ne pas me prendre pour une folle. J'ai été absente pendant longtemps, et...

Aria fit une grimace qu'Emily connaissait parfaitement. Ça signifiait qu'elle était en train de choisir soigneusement ses mots.

— Et quoi?

Emily haussa les sourcils et attendit. Aria voulait peut-être réunir toute leur petite bande de 5e. Elle ne devait pas savoir qu'elles s'étaient beaucoup éloignées pendant son séjour en Europe. Est-ce que ce serait vraiment gênant?

— Hum... (Aria promena un regard méfiant à la ronde.)

Avez-vous appris du nouveau sur la disparition d'Ali pendant que j'étais partie?

Emily eut un mouvement de recul.

— Du nouveau sur sa disparition? Comment ça?

— Par exemple : est-ce qu'on a fini par découvrir qui l'avait enlevée? Est-ce qu'elle a fini par réapparaître? interrogea Aria.

— Euh... Non.

Mal à l'aise, Emily se mordit l'ongle du pouce.

Aria se pencha vers elle.

— Tu crois qu'elle est morte?

Emily écarquilla les yeux.

— Je... je n'en sais rien. Pourquoi?

Aria serra les dents. Elle semblait très absorbée.

— Pourquoi me demandes-tu ça? insista Emily, le cœur battant.

— Pour rien, murmura Aria.

Puis son regard se fixa sur quelqu'un qui se tenait derrière Emily. Elle referma la bouche.

— Hé, lança une voix rauque.

Emily fit volte-face. Maya.

— Hé, répondit-elle, manquant lâcher son gobelet. Je... je ne savais pas que tu venais.

— Moi non plus, répliqua Maya. Mais mon frère en avait envie. Il est quelque part dans le coin.

Emily se retourna vers Aria pour la présenter à sa nouvelle amie, mais Aria avait disparu.

— Alors c'est toi, la fameuse Maya? lança Ben en rejoignant les deux filles. Celle qui a fait basculer Emily du côté obscur de la Force?

— Du côté obscur de la Force? couina Emily. De quel côté obscur tu parles?

— De sa décision d'arrêter la natation, répondit Ben. (Il fixa Maya.) Tu sais qu'elle a décidé d'arrêter, pas vrai?

— C'est vrai?

Tout excitée, Maya se tourna vers Emily.

— Maya n'a rien à voir avec ça, protesta Emily en jetant un regard sombre à Ben. Et on n'est pas obligés d'en parler maintenant.

Le jeune homme finit son verre.

— Pourquoi pas? Ce n'est pas la grande nouvelle de la soirée?

— Je ne sais pas encore.

— Bref. (Il lui posa la main sur l'épaule un peu brutalement.) Je vais me chercher une autre bière. Tu en veux une?

Emily acquiesça, même si elle ne buvait jamais plus d'une bière par soirée. Ben ne demanda pas à Maya si elle voulait quelque chose. Comme il s'éloignait, Emily remarqua que son pantalon pochait aux fesses. *Beurk!*

Maya prit la main d'Emily et la pressa.

— Comment tu te sens?

Emily regarda leurs doigts entrelacés et rougit, mais ne se dégagea pas pour autant.

— Bien. (Et aussi un peu effrayée, se garda-t-elle d'ajouter.) Sonnée, mais ça va.

— J'ai ce qu'il faut pour fêter ça, chuchota Maya. (Plongeant la main dans son sac à dos Manhattan Portage, elle montra à sa camarade le goulot d'une bouteille de Jack Daniel's.) Je l'ai piquée dans le bar de mes parents. Tu veux m'aider à lui faire un sort?

Emily fixa Maya. La jeune fille avait ramené ses cheveux en arrière et portait un simple débardeur noir avec une minijupe en toile kaki. Elle avait l'air pétillant et marrant – bien plus que Ben avec son jean dans lequel il semblait s'être laissé aller.

— Pourquoi pas? répondit-elle.

Et elle suivit Maya en direction des bois.

21

LES BOMBASSES NE SONT PAS SI DIFFÉRENTES DES FILLES ORDINAIRES

Hanna but une gorgée de sa vodka tonic et alluma une autre cigarette. Elle n'avait pas revu Sean depuis qu'ils s'étaient garés sur la pelouse des Kahn deux heures plus tôt, et Mona avait également disparu. Hanna se retrouvait coincée au milieu de James Freed, de Zelda Millings – une blonde renversante qui ne portait que des vêtements et des chaussures fabriqués à partir de chanvre – et d'une tripotée d'autres snobinardes des Amis de Doringbell, le lycée quaker ultrabranché de la ville voisine. Ces filles étaient déjà venues à la soirée de Noel l'année précédente, et bien qu'Hanna ait passé du temps avec elles, elle ne se souvenait d'aucun de leurs prénoms.

James écrasa le mégot de sa Marlboro sur le talon de son Adidas et but une gorgée de bière.

— J'ai entendu dire que le frère de Noel avait une tonne d'herbe.

— Eric ? Qu'est-ce qu'il fout ? interrogea Zelda.

— Il est dans la cabine de Photomaton, répondit James.

Soudain, Sean apparut entre les pins. Hanna se leva, rajusta la robe à fines bretelles BCBG censée la mincir et rattacha autour de ses chevilles les lanières des sandales Christian Louboutin bleu pâle qu'elle étrennait pour l'occasion. Comme elle courait vers son petit ami, un de ses talons s'enfonça dans l'herbe humide. Elle agita désespérément les bras, lâcha son gobelet et se retrouva soudain sur les fesses.

— Et une gamelle, une! lança James avec une voix d'ivrogne.

Les filles de Doringbell éclatèrent de rire.

Hanna se releva très vite, se pinçant la paume pour s'empêcher de pleurer. C'était la soirée la plus importante de l'année, et elle se sentait totalement à côté de la plaque : sa robe la serrait aux hanches, elle n'avait pas réussi à arracher un seul sourire à Sean pendant le trajet jusque chez les Kahn – alors qu'il était parvenu à se faire prêter la BMW 760i de son père pour l'occasion – et elle en était à sa troisième vodka-tonic bourrée de calories alors qu'il était à peine vingt et une heures trente.

Sean lui tendit la main pour l'aider.

— Ça va?

Hanna hésita. Sean portait un T-shirt blanc tout simple qui mettait en valeur son torse musclé, résultat d'une pratique intensive du foot, et son ventre plat dû à des gènes exceptionnels, un jean Paper Denim indigo qui lui faisait un cul d'enfer et des Puma noires un peu usées. Il avait une coupe coiffée-décoiffée, des yeux marron plus profonds que jamais et des lèvres roses très attirantes. Depuis une heure, Hanna le regardait l'éviter soigneusement, mais s'amuser avec tous les types présents.

— Oui, ça va, dit-elle, avançant la lèvre inférieure en une moue boudeuse qui avait fait ses preuves.

— Qu'est-ce qui t'arrive? interrogea Sean.

Hanna tenta de retrouver son équilibre sur ses talons hauts.

— On ne pourrait pas... aller dans un endroit tranquille tous les deux? Les bois, peut-être? suggéra-t-elle. Je voudrais qu'on parle.

Sean haussa les épaules.

— Si tu veux.

Bingo!

Hanna entraîna Sean sur le chemin qui conduisait à la « Forêt de la Virilité ». Les arbres projetaient sur eux de longues ombres noires. La jeune fille n'était venue dans ces bois qu'une fois auparavant, en 5e, parce que deux de ses amies y avaient rendez-vous avec des garçons. Pendant qu'Ali flirtait avec Noel Kahn et Spencer avec James Freed, Hanna, Emily et Aria s'étaient assises sur des rondins de bois et avaient partagé une cigarette en attendant désespérément que cela se termine.

Hanna s'assit dans l'herbe et tira sur le bras de Sean pour qu'il en fasse autant.

— Tu t'amuses bien? demanda-t-elle.

— Ouais, c'est sympa, répondit le jeune homme. (Il porta son gobelet à ses lèvres et but une petite gorgée.) Et toi?

Hanna hésita. La peau de Sean brillait sous le clair de lune. Il y avait une petite tache sur le col de son T-shirt.

— Je suppose que oui.

Trêve de bavardages. Elle prit le gobelet de Sean, le posa par terre, puis passa ses bras autour du cou du jeune homme et se mit à l'embrasser. *Là.* Le monde tanguait autour d'elle, et dans sa bouche, elle ne sentait que le goût du Schweppes, ce qui craignait un peu. Mais tant pis.

Au bout d'une minute, elle sentit Sean se dégager. Peut-être devait-elle passer à la vitesse supérieure. Elle remonta le bas de sa robe bleu marine, révélant ses jambes et un minuscule string en dentelle mauve Cosabella. Il faisait frais dans les bois. Un moustique se posa sur sa cuisse.

— Hanna, dit gentiment Sean en tendant la main pour baisser sa robe. Ce n'est...

Mais il ne fut pas assez rapide. D'un geste vif, Hanna avait déjà fait passer sa robe au-dessus de sa tête.

Il balaya des yeux tout son corps. Aussi incroyable que ça puisse paraître, ce n'était que la deuxième fois qu'il la voyait en sous-vêtements – à moins de compter la semaine qu'ils avaient passée ensemble dans la résidence secondaire des parents de Sean, à Avalon, sur la côte du Jersey. Mais se pavaner en bikini sur la plage, ce n'était pas la même chose que de se retrouver seule avec son copain en petite tenue.

— Tu n'as pas vraiment envie d'arrêter, n'est-ce pas? susurra Hanna en faisant mine d'enlacer Sean.

Le jeune homme lui saisit les poignets.

— Si.

Hanna s'enveloppa du mieux qu'elle put dans sa robe. Elle devait déjà s'être fait piquer une centaine de fois par les moustiques qui regorgeaient dans les bois. Sa lèvre inférieure se mit à trembler.

— Mais... je ne comprends pas. Tu ne m'aimes pas? demanda-t-elle d'une toute petite voix.

Sean mit longtemps à répondre. Non loin d'eux, Hanna entendit glousser un autre couple.

— Je ne sais pas, lâcha enfin le jeune homme.

— Doux Jésus! (Hanna s'écarta de lui. Les vodka-tonic s'agitaient dans son estomac.) Tu ne serais pas gay, par hasard? lança-t-elle sur un ton un peu plus mordant qu'elle n'aurait voulu.

— Non! protesta Sean, blessé.

— Alors, pourquoi tu ne veux pas coucher avec moi? Je ne suis pas assez sexy?

— Bien sûr que si! Tu es l'une des plus jolies filles que je connaisse. Pourquoi ne t'en rends-tu pas compte?

— Que veux-tu dire? s'enquit Hanna, dégoûtée.

— C'est juste que..., commença Sean. Je pense que si tu avais un peu plus de respect pour toi-même...

— J'ai beaucoup de respect pour moi-même! s'exclama Hanna.

Elle recula et sentit une pomme de pin rouler sous ses fesses.

Sean se leva. Il avait l'air triste et déçu.

— Regarde-toi. (Il observa la jeune fille de la pointe de ses chaussures jusqu'au sommet de son crâne.) J'essaye juste de t'aider, Hanna.

Des larmes montèrent aux yeux d'Hanna, qui tenta de les ravaler. Il était hors de question qu'elle se mette à pleurer. Pas maintenant, et pas devant Sean.

— J'ai beaucoup de respect pour moi-même, répéta-t-elle. Je voulais juste te montrer ce que... ce que je ressens.

— J'ai décidé de faire preuve de discernement en matière de sexe, expliqua Sean sur un ton qui se voulait ni gentil ni méchant – simplement détaché. Je veux que la première fois ait lieu au bon moment et avec la bonne personne. Et je ne crois pas que tu sois cette personne-là. (Il soupira et recula d'un pas.) Je suis désolé.

Puis il tourna les talons et disparut entre les arbres.

Hanna était si embarrassée et si furieuse qu'elle en avait perdu l'usage de la parole. Elle voulut se lever pour suivre Sean, mais son talon se coinça de nouveau, et elle retomba. Prostrée sur le sol, elle pressa ses pouces sur ses yeux pour empêcher ses larmes de couler.

— On dirait qu'elle va vomir.

Ouvrant un œil, Hanna vit deux types de 3ᵉ – qui avaient probablement débarqué à la soirée sans invitation – la mater comme s'il s'agissait d'une fille qu'ils avaient créée en 3D sur leur ordinateur.

— Allez vous faire foutre, espèces de pervers! cria-t-elle en se relevant.

De l'autre côté de la pelouse, elle vit Sean courir après Mason Byers en agitant un maillet de croquet jaune. Reniflant, elle épousseta sa robe et revint vers la piste de danse. Décidément, personne ne se souciait d'elle. Elle repensa au message reçu la veille. *Tu n'es même pas la préférée de ton père!*

Soudain, elle regretta de ne pas avoir son numéro de téléphone. Elle se remémora le jour où elle avait été lui rendre visite avec Ali, ce jour maudit où elle avait fait la connaissance d'Isabel et de Kate.

Bien qu'on soit en février, le temps était incroyablement doux à Annapolis – suffisamment pour manger dehors. Après le déjeuner, Hanna, Ali et Kate s'étaient assises sur les marches du porche pour bronzer. Ali et Kate discutaient de leurs teintes préférées de vernis à ongles MAC, mais Hanna n'arrivait pas à s'intéresser à leur conversation. Elle se sentait grosse et empotée. Elle avait vu l'expression de Kate quand Ali et elle étaient descendues du train : surprise à la vue de la ravissante Ali, soulagée quand ses yeux s'étaient posés sur sa future demi-sœur. Comme si elle pensait : *Je n'ai rien à craindre d'elle.*

Sans le réaliser, Hanna avait vidé le saladier de pop-corn au fromage posé sur la table et englouti une demi-douzaine de profiteroles, plus une partie du brie destiné à Isabel et à son père. Les mains plaquées sur son ventre rond, elle avait jeté un coup d'œil aux abdominaux bien dessinés des deux autres filles et n'avait pu réprimer un grognement.

— Ma petite cochonne ne se sent pas bien? avait demandé Tom Marin sur un ton taquin.

À ce souvenir, Hanna frémit et porta les mains à son ventre désormais plat. Qui que soit « A », il (ou elle) avait raison : elle n'était pas la préférée de son père.

— Tout le monde à l'eau ! hurla soudain Noel, arrachant Hanna à ses sombres pensées.

De l'autre côté du champ, la jeune fille vit Sean se déshabiller hâtivement. Noel, James, Mason et quelques autres garçons firent de même avant de s'élancer vers la mare, mais Hanna ne broncha pas. S'il y avait bien une nuit où elle se fichait de voir les plus beaux garçons de Rosewood quasiment à poil...

— Ils sont tous tellement craquants, murmura Felicity McDowell, qui était en train de se préparer une tequila-Fanta raisin près d'elle. Tu ne trouves pas ?

— Mmmh, marmonna Hanna.

Elle serra les dents. Que son père et sa belle-fille parfaite aillent se faire foutre ! Et que Sean et son stupide discernement aillent aussi se faire foutre ! Empoignant une bouteille de Ketel One sur la table des rafraîchissements, elle but à même le goulot. Elle faillit reposer la bouteille mais, au dernier moment, décida de l'emporter à la mare. Sean n'allait pas s'en tirer comme ça. Il ne pouvait pas la plaquer, l'insulter et passer le reste de la soirée à l'ignorer. C'était hors de question.

Hanna s'arrêta près d'une pile de vêtements qui ne pouvait être que ceux de son ex : jean proprement plié, petites chaussettes blanches roulées à l'intérieur des baskets. Après s'être assurée que personne ne l'observait, elle s'empara du jean et s'éclipsa. Que diraient les autres membres du club de chasteté si Sean se faisait surprendre rentrant chez lui en boxer ?

Comme elle se dirigeait vers les bois pour y planquer le jean de son ex, Hanna sentit quelque chose tomber d'une poche et atterrir à ses pieds. Elle ramassa l'objet et le fixa un moment, en attendant que sa vision se dédouble.

La clé de la BMW.

— Génial! souffla-t-elle en caressant le bouton de l'alarme du bout du doigt.

Lâchant le jean et l'abandonnant sur le sol, elle fourra la clé dans son sac de soirée Moschino bleu.

C'était une nuit parfaite pour une virée en voiture.

22

LES BAINS DE BIÈRE, C'EST BON POUR LES PORES

— Vise ça! chuchota Maya, tout excitée. En Californie, il y en avait un dans un de mes cafés préférés!

Emily et Maya fixaient le vieux Photomaton qui se dressait en bordure du champ, à la lisière des bois. Une rallonge électrique orange s'éloignait en serpentant à travers la pelouse, en direction de la maison.

Pendant que les deux filles se pâmaient d'admiration, le frère aîné de Noel, Eric, sortit de la cabine en compagnie d'une Mona Vanderwaal gloussante et visiblement très éméchée. Ils récupérèrent leurs photos et s'éloignèrent. Maya jeta un coup d'œil à Emily.

— Tu veux essayer?

Emily acquiesça. Avant d'entrer, elle promena un regard rapide à la ronde. Quelques jeunes se massaient autour d'un fût de bière, tandis que de nombreux autres dansaient en tenant leur gobelet de plastique rouge au-dessus de leur tête. Noel et une poignée de garçons nageaient en boxer dans la mare aux canards. Ben n'était nulle part.

Emily s'assit à côté de Maya sur le petit siège orange du Photomaton et tira le rideau. La cabine était si exiguë que les épaules et les cuisses des deux filles se touchaient.

— Tiens.

Maya remit le Jack Daniel's à Emily et appuya sur le bouton vert. Emily but une gorgée de whisky et brandit triomphalement la bouteille au moment où jaillissait le premier flash. Pour la deuxième photo, Maya et elle se mirent joue contre joue et sourirent de toutes leurs dents. Pour la troisième, Emily loucha et Maya gonfla les joues comme un singe. Pour la dernière, elles reprirent un air semi-normal – bien qu'un peu mal à l'aise.

— J'ai hâte de voir à quoi les photos vont ressembler, dit Emily en se levant.

Mais Maya lui saisit la manche pour la retenir.

— On peut rester ici une seconde? C'est une cachette idéale.

— Euh, si tu veux.

Emily se rassit et déglutit un peu plus bruyamment qu'elle ne l'aurait voulu.

— Alors, comment tu te sens? interrogea Maya en écartant les cheveux qui tombaient dans les yeux de son amie.

Emily soupira et tenta de trouver une position confortable sur le minuscule siège. *Comment je me sens? Perturbée. En rogne contre mes affreux racistes de parents. Effrayée à l'idée qu'abandonner la natation ne soit pas le bon choix. Et nerveuse d'être assise si près de toi.*

— Bien, répondit-elle enfin.

Maya ricana et but une gorgée de whisky.

— Je ne te crois pas une seule seconde.

Emily hésita. Maya semblait être la seule personne qui la comprenait.

— Bon, peut-être pas si bien que ça, admit-elle enfin.

— Que se passe-t-il ?

Mais Emily ne souhaitait pas parler de natation, de Ben ou de ses parents. Elle avait envie d'évoquer un tout autre sujet. Depuis le début de la soirée, une pulsion irrésistible montait en elle. Peut-être était-ce dû au fait de revoir Aria – ou d'avoir à nouveau une meilleure amie. Quoi qu'il en soit, elle voyait en Maya une confidente idéale.

Elle prit une profonde inspiration.

— Alison, tu sais, la fille qui vivait dans ta maison avant ?

— Oui.

— On était très proches. Et je l'aimais profondément. Tout en elle me plaisait.

Elle entendit Maya souffler. Anxieuse, elle lui prit la bouteille de Jack Daniel's des mains et but pour se donner du courage.

— C'était ma meilleure amie, poursuivit-elle en caressant le rideau bleu au tissu rêche. J'adorais être avec elle. Alors, un jour, je l'ai fait sans réfléchir.

— Tu as fait quoi ?

— Ben… Ali et moi, on était dans sa cabane, derrière sa maison. On y allait souvent quand on voulait discuter tranquillement. On était assises par terre, Ali me parlait d'un garçon qui lui plaisait – un type plus vieux dont elle ne voulait pas me dire le nom – et soudain, je n'ai plus pu me retenir. Je me suis penchée et… je l'ai embrassée.

Maya émit un petit hoquet de surprise.

— Mais elle n'a pas eu l'air d'aimer ça. Après, elle s'est montrée assez distante. Elle m'a même dit : « Maintenant, je comprends pourquoi tu ne dis jamais rien pendant qu'on se change pour le cours de gym ! »

— Mon Dieu...

Emily but une autre gorgée de whisky et sentit la tête lui tourner. C'était la première fois qu'elle buvait autant. Et un de ses plus grands secrets était désormais exposé telle une culotte de grand-mère sur une corde à linge.

— Ali m'a également fait savoir que les amies, selon elle, ne devraient pas s'embrasser de la sorte. Alors, j'ai feint la plaisanterie. Mais en rentrant chez moi, j'ai réalisé quels étaient mes véritables sentiments pour elle. Je lui ai écrit une lettre pour lui dire que je l'aimais. J'ignore si elle l'a reçue – en tout cas, elle ne m'en a jamais parlé.

Une larme tomba sur le genou nu d'Emily. Maya la vit et l'étala du bout de son index.

— Je pense encore beaucoup à elle. (Emily soupira.) Mais j'avais plus ou moins refoulé ce souvenir. Je me disais qu'Ali était juste ma meilleure amie, que j'avais tout mélangé, que ça ne voulait rien dire de spécial. Maintenant... je ne sais plus, avoua-t-elle.

Les deux filles restèrent assises en silence pendant quelques minutes. Le brouhaha de la fête pénétrait dans la cabine. De temps en temps, Emily entendait le bruit d'un Zippo quand quelqu'un allumait une cigarette non loin du Photomaton. Ce qu'elle venait de dire au sujet d'Ali ne la choquait pas vraiment. C'était peut-être effrayant, mais c'était aussi la vérité. D'une certaine façon, ça lui faisait du bien d'avoir enfin raconté son secret.

— Puisqu'on en est aux confidences..., murmura Maya. Moi aussi, j'ai quelque chose à te dire.

Elle tourna sa paume vers le haut pour montrer à Emily la cicatrice blanche sur son poignet.

— Tu l'avais peut-être remarquée...

— Oui, chuchota Emily en fixant la cicatrice dans la pénombre de la cabine.

— Je me suis fait ça avec une lame de rasoir, avoua Maya. Ce n'était pas une première, mais cette fois-là, je n'ai pas réalisé que je m'entaillais si profondément. Il y avait du sang partout. Mes parents ont dû m'emmener aux urgences.

— Tu t'es tailladée exprès? murmura Emily.

— Euh... oui. Mais c'est fini à présent. Je ne le fais plus. Enfin, j'essaye, corrigea Maya.

— Et pourquoi le faisais-tu à l'époque?

— Je n'en sais rien. Parfois... J'en ressentais le besoin, c'est tout. Tu peux toucher, si tu veux.

Emily caressa le poignet de Maya du bout des doigts. Sa cicatrice était lisse mais légèrement en relief – rien à voir avec de la peau ordinaire. Ce contact était la chose la plus intime dont Emily ait jamais fait l'expérience. Elle se pencha et prit Maya dans ses bras.

Des secousses pareilles à des sanglots silencieux agitèrent le corps de Maya. Celle-ci enfouit sa tête dans le cou d'Emily. Comme la fois précédente, il émanait d'elle un arôme artificiel de banane.

Emily la serra contre elle. Maya était si frêle, elle paraissait si fragile... Qu'est-ce que ça faisait de s'ouvrir les veines, de regarder couler son propre sang? Emily avait eu sa part de problèmes, mais même quand elle était au plus bas – après l'affaire Jenna ou la disparition d'Ali –, rongée par la culpabilité et le remords, jamais elle n'avait eu envie de se faire du mal.

Maya releva la tête, et son regard croisa celui d'Emily. Avec un petit sourire triste, elle l'embrassa sur les lèvres. Surprise, Emily cligna des yeux et lâcha la bouteille de Jack Daniel's.

— Tu vois ? lança Maya. Parfois, ce n'est pas une si mauvaise idée de s'embrasser entre amies.

Les deux filles se fixèrent. Elles étaient si proches que le bout de leur nez se touchait presque. Dehors, les criquets faisaient un raffut pas possible.

Puis Maya se pencha légèrement. Emily se sentit fondre. Leurs deux bouches étaient ouvertes, et la langue de Maya caressait la sienne avec tant de douceur... Son cœur se mit à battre la chamade tandis qu'elle enfonçait ses doigts dans les cheveux frisés de Maya, les laissait courir sur les épaules et le long du dos de son amie.

Maya glissa ses mains sous le polo d'Emily et pressa ses paumes sur son ventre. Instinctivement, Emily contracta les abdos et retint son souffle. Puis elle se détendit. Ça n'avait absolument rien à voir avec les baisers de Ben.

Les mains de Maya remontèrent jusqu'à ses seins et les caressèrent à travers son soutien-gorge. Emily ferma les yeux. La bouche de son amie avait un goût délicieux – un mélange de Jack Daniel's et de réglisse.

Maya lui embrassa les épaules et la poitrine. La tête d'Emily bascula en arrière. Quelqu'un avait peint une lune et des étoiles au plafond de la cabine, remarqua-t-elle distraitement.

Soudain, le rideau s'ouvrit. Emily sursauta et voulut repousser Maya, mais trop tard. Quand elle vit qui se tenait face à elle, elle blêmit.

— Oh, mon Dieu...

— Merde, renchérit Maya avec conviction.

— Eh bien... Ça explique beaucoup de choses, lâcha froidement Ben.

Il tenait deux gobelets de bière à la main.

— Ben, je...

Emily s'extirpa précipitamment de la cabine, se cognant la tête sur le haut de la porte au passage.

— Ne te dérange pas pour moi, ricana le jeune homme.

Jamais Emily n'avait entendu tant de chagrin et de colère dans sa voix.

— Non, protesta-t-elle. Tu ne comprends pas.

Elle sortit du Photomaton, et Maya l'imita. Du coin de l'œil, elle vit son amie récupérer leurs photos et les fourrer dans sa poche.

— Surtout ne dis rien, cracha Ben.

Et il lui jeta l'une des bières à la figure. Le liquide tiède éclaboussa le jean et les Converse d'Emily. Le gobelet rebondit par terre et disparut dans les buissons.

— Ben! cria Emily.

Le jeune homme hésita, puis jeta son autre bière à la figure de Maya. Le visage et les cheveux dégoulinants, celle-ci hurla.

— Arrête! hoqueta Emily.

— Espèce de sales gouines! dit Ben, des larmes plein la voix.

Tournant les talons, il s'enfuit dans l'obscurité.

23

ARIA L'ISLANDAISE OBTIENT ENFIN CE QU'ELLE VEUT

— Ah, te voilà enfin, la Finlandaise! Je t'ai cherchée partout!

Une heure plus tard, Aria sortait tout juste du Photomaton. Noel Kahn se tenait devant elle, dans un boxer Calvin Klein trempé qui lui collait à la peau. Il tenait un gobelet en plastique jaune rempli de bière et ses photos fraîchement sorties de l'appareil. Comme il secouait la tête, un peu d'eau éclaboussa la minijupe APC d'Aria.

— Pourquoi es-tu mouillé? s'enquit la jeune fille.

— On jouait au water-polo, répondit-il.

Aria jeta un coup d'œil à la mare. Dans l'eau, quelques garçons se battaient à grands coups de frites en mousse rose. Sur la berge, un groupe de filles en minirobes Alberta Ferrari presque identiques papotaient avec animation. Un peu plus loin du côté des haies, elle repéra son frère Mike. Il était en compagnie d'une fille menue, qui portait une microjupe à carreaux et des sandales à semelle compensée.

Noel suivit le regard d'Aria.

— C'est l'une des filles du lycée quaker, murmura-t-il. Ces nanas sont complètement cinglées.

Mike leva les yeux et vit Aria en compagnie de Noel. Il adressa un signe de tête approbateur à sa sœur.

Du pouce, Noel tapota les photos d'Aria.

— Tu es super là-dessus.

Aria jeta un coup d'œil aux photos. Parce qu'elle s'ennuyait comme un rat mort, elle venait de passer vingt minutes à prendre la pose dans la cabine. Sur celles-là, elle avait une expression sensuelle – regard par en dessous et moue boudeuse.

Elle était venue chez les Kahn en espérant qu'Ezra débarquerait, fou de jalousie et de désir, pour l'enlever. Mais il était prof, et les profs n'allaient pas aux soirées organisées par leurs élèves.

— Noel! interpella James Freed depuis l'autre côté de la pelouse. On vient de mettre un fût en perce!

— Et merde! jura Noel. (Il déposa un baiser mouillé sur la joue d'Aria.) Cette bière est pour toi. Ne bouge pas.

— Euh…, marmonna Aria en le regardant s'éloigner.

Le boxer trempé du jeune homme avait glissé, révélant le haut de ses fesses blanches mais musclées par ses entraînements de lacrosse.

— Tu lui plais vraiment, tu sais.

Aria pivota. Mona Vanderwaal était assise par terre à deux mètres d'elle. Ses cheveux blonds ondulaient autour de son visage, et ses grosses lunettes de soleil à monture dorée étaient en équilibre précaire sur le bout de son nez. Le frère aîné de Noel, Eric, avait la tête sur ses genoux.

— Noel est génial. Il ferait un petit ami parfait, reprit-elle en lui adressant un clin d'œil.

Eric éclata de rire.

— Quoi? (Mona se pencha vers lui.) J'ai dit quelque chose de drôle?

— Elle est complètement stone, annonça Eric.

Tandis qu'Aria cherchait ce qu'elle pourrait bien répondre, son Treo bipa. Elle le sortit vivement de son sac et regarda le numéro de son correspondant. Ezra. *Oh, mon Dieu! Oh, mon Dieu!*

Elle appuya sur le bouton pour prendre l'appel.

— Allô? lança-t-elle d'une voix basse et mesurée malgré son excitation.

— Salut, Aria.

— Oh, c'est toi. Quoi de neuf? s'enquit-elle sur un ton faussement cool et détaché.

— Je suis à la maison, chuchota Ezra. Je bois un scotch en pensant à toi.

Aria ferma les yeux et sentit une douce chaleur l'envahir.

— Vraiment?

— Oui. Tu es à cette fameuse soirée?

— Mmmh...

— Tu t'ennuies?

Elle éclata de rire.

— Un peu.

— Tu veux passer chez moi?

— Pourquoi pas? répondit-elle nonchalamment.

Ezra entreprit de lui expliquer la route. Aria savait déjà comment se rendre chez lui – elle avait regardé sur MapQuest et Google Earth, mais ne pouvait décemment pas le lui dire. Aussi ne l'interrompit-elle pas.

— D'accord, à tout de suite, répondit-elle une fois ses explications terminées.

Elle rangea son téléphone dans son sac le plus calmement possible, puis fit claquer les talons de ses santiags rouges. *Ouaiiiiiiis!*

— Hé, je sais d'où je te connais !

Aria jeta un coup d'œil par-dessus son épaule. Eric Kahn la fixait en plissant les yeux tandis que Mona l'embrassait dans le cou.

— Tu es la copine de la fille qui a disparu, pas vrai ?

Aria repoussa sa frange en arrière.

— Je ne vois pas de qui tu parles, répliqua-t-elle avant de s'éloigner.

Une bonne partie de Rosewood se composait de propriétés entourées d'un mur d'enceinte et d'anciennes fermes rénovées occupant des terrains de plusieurs dizaines d'hectares. Mais près de l'université s'étendait une série de petites rues pavées bordées de maisons victoriennes décrépites. Celles de Old Hollis étaient peintes dans des couleurs vives – violet, rose ou vert – et généralement scindées en plusieurs appartements loués à des étudiants. Les Montgomery avaient habité ici jusqu'à ce qu'Aria ait cinq ans et que son père décroche son premier poste d'enseignant à la fac.

Comme elle remontait lentement la rue d'Ezra, la jeune fille remarqua une maison dont la façade était surmontée de lettres grecques et les arbres drapés de papier toilette. Dans le jardin d'une autre se dressait un chevalet supportant une toile à moitié achevée.

Aria se gara devant chez Ezra. Elle descendit de voiture, monta quelques marches de pierre et sonna. La porte s'ouvrit, et l'homme de ses rêves apparut devant elle.

— Wouah ! dit-il avec un large sourire. Salut !

— Salut, répondit Aria en lui rendant son sourire radieux.

— Je n'en reviens pas que tu sois venue, avoua Ezra. Wouah !

— Tu l'as déjà dit, le taquina-t-elle.

Le jeune homme s'effaça pour la laisser passer. Au fond du couloir, un escalier en colimaçon, dont chaque marche était recouverte d'une moquette de couleur différente, montait vers l'étage. Sur la droite, une porte était entrouverte.

— C'est mon appartement, annonça Ezra.

Aria entra. La première chose qu'elle vit, ce fut une baignoire à pieds installée au milieu du salon. Elle la désigna d'un air interrogateur.

— Elle est trop lourde pour que je la déplace seul, avoua Ezra d'un air penaud. Alors, je range mes bouquins dedans.

— Cool.

Aria regarda autour d'elle, découvrant la gigantesque baie vitrée, les étagères intégrées aux murs couvertes de poussière et le canapé affaissé en velours jaune. Une légère odeur de macaronis au fromage planait dans l'air. Un lustre en cristal pendait au plafond, une frise en mosaïque faisait le tour de la cheminée, et il y avait de vraies bûches dans l'âtre. Cela correspondait beaucoup plus au style d'Aria que la luxueuse baraque de vingt-sept pièces des Kahn.

— J'adorerais vivre ici, déclara la jeune fille.

— Je n'arrête pas de penser à toi, lança Ezra au même moment.

Aria lui jeta un coup d'œil par-dessus son épaule.

— Ah bon?

Le jeune homme se rapprocha d'elle et, se plaquant contre son dos, lui posa les mains sur les hanches. Aria se laissa aller contre lui. Ils restèrent ainsi pendant un moment, puis Aria se retourna. Elle détailla le visage rasé de près d'Ezra, la petite bosse de son nez, les paillettes vertes dans ses yeux. Elle toucha un grain de beauté sur le lobe de son oreille et le sentit frissonner.

— Je ne… Je n'arrive pas à t'ignorer en cours, chuchota le

jeune homme. C'est un vrai supplice. Quand tu as fait ton exposé…

— Aujourd'hui, tu m'as touché la main, le taquina Aria. Tu regardais mon cahier.

— Et toi, tu as embrassé Noel. J'étais fou de jalousie!

— Alors, mon plan a marché.

Ezra soupira et enlaça Aria. Leurs bouches se rencontrèrent. Ils s'embrassèrent fiévreusement, chacun pétrissant le dos de l'autre. Puis ils s'écartèrent et, le souffle court, se regardèrent dans les yeux.

— Ne parlons plus du lycée, souffla Ezra.

— Marché conclu.

Ezra guida Aria vers une minuscule chambre à coucher dont le sol était jonché de vêtements. Un paquet de Lay's était posé sur la table de nuit. Les deux jeunes gens s'assirent sur le lit. Le matelas devait faire à peine plus d'un mètre de large, il était recouvert d'un couvre-lit en denim raide et devait renfermer des miettes de chips dans les plis, pourtant Aria ne s'était jamais sentie aussi bien de toute sa vie.

Allongée sur le dos, Aria fixait une fissure au plafond. Le lampadaire qui se dressait devant la maison projetait de longues ombres à travers la pièce et conférait une étrange teinte rosâtre à la peau de la jeune fille. Entrant par la fenêtre ouverte, une brise fraîche souffla la bougie parfumée au bois de santal qu'Ezra avait posée près du lit. Aria entendit le jeune homme ouvrir un robinet dans la salle de bains.

Ouh ouh!

Elle se sentait tellement vivante! Ezra et elle venaient pratiquement de faire l'amour… mais au dernier moment, ils avaient, d'un commun accord, décidé qu'il valait mieux attendre. Alors, ils s'étaient blottis l'un contre l'autre, complètement nus, et avaient discuté.

Ezra avait raconté à Aria la fois où, à l'âge de six ans, il avait fabriqué un écureuil en argile rouge que son frère avait aussitôt détruit. Et celle où il avait dû emmener le fox terrier de la famille chez le vétérinaire pour le faire piquer. Il lui avait également parlé du divorce de ses parents, et de la sale manie qu'il avait prise juste après de fumer beaucoup trop d'herbe.

Pour sa part, Aria lui avait confié qu'étant petite, elle avait adopté une boîte de soupe de pois cassés qu'elle avait baptisée « Pois » et baladait partout comme un animal de compagnie. Lorsque sa mère avait voulu préparer Pois pour le dîner, elle s'était mise à pleurer. Aria lui avait également révélé son obsession pour le tricot et promis de lui confectionner un pull.

C'était facile de parler avec Ezra – si facile qu'Aria s'imaginait très bien le faire jusqu'à la fin de ses jours. Ils pourraient voyager dans des pays lointains, dormir dans les arbres, ne rien manger d'autre que des bananes plantain et écrire des tas de pièces ensemble...

Le Treo d'Aria bipa. *Argh...* C'était probablement Noel qui se demandait où elle était passée. Serrant un des oreillers d'Ezra contre elle – mmmh, il était imprégné de son parfum –, elle attendit que le jeune homme ressorte de la salle de bains pour l'embrasser.

Puis son Treo se remit à biper. Encore et encore.

— Faich', grogna Aria, qui se leva complètement nue pour attraper le téléphone dans son sac. Sept nouveaux messages. Et d'autres continuaient d'affluer. Aria fronça les sourcils. Ils avaient tous le même titre : RÉUNION PROFESSEUR-ÉLÈVE. Son estomac se noua tandis qu'elle ouvrait sur le premier.

Aria,
Ça, c'est ce qui s'appelle faire de la lèche!
Bisous,
—A
PS : Je me demande comment réagirait ta mère si elle

découvrait ce qui se trame entre ton père et son étudiante préférée... et notamment que tu étais au courant.

Aria lut les autres textos. Tous disaient la même chose. Elle lâcha son Treo, qui s'écrasa par terre avec un bruit sourd. Prise de vertige, elle dut s'asseoir.

Non. Mauvaise idée. Il fallait avant tout qu'elle sorte d'ici.

— Ezra?

Paniquée, elle regarda par la fenêtre de la chambre. Était-on en train de les espionner à cet instant précis? Que voulait « A »? s'agissait-il vraiment d'Alison?

— Ezra, je dois y aller. C'est une urgence.

— Quoi? répondit le jeune homme de l'autre côté de la porte. Tu pars déjà?

Aria non plus n'arrivait pas à y croire. Elle enfila son T-shirt précipitamment.

— Je t'appelle, d'accord? Là, j'ai un truc à faire.

— Attends un peu. Qu'est-ce que tu as à faire de si urgent? protesta Ezra en sortant de la salle de bains.

Aria saisit son sac, fonça vers la sortie et jaillit hors de la maison. Il fallait qu'elle fiche le camp. Tout de suite.

$\mathcal{I}$L N'Y A PAS QUE DES JEANS ET DES CHAUSSURES DANS LE PLACARD DE SPENCER

— La limite de x est..., marmonna Spencer.

Allongée sur son lit, appuyée sur un coude, la jeune fille était plongée dans le manuel d'algèbre flambant neuf qu'elle venait de recouvrir de papier brun pour ne pas l'abîmer. La pommade anti-inflammatoire lui brûlait toujours les reins.

Elle consulta sa montre : il était minuit passée. Elle n'était pas cinglée de s'acharner sur ses devoirs de maths le premier vendredi soir de l'année scolaire ? La Spencer de l'année précédente aurait foncé chez les Kahn au volant de sa Mercedes, but de la mauvaise bière en fût et peut-être flirté avec Mason Byers ou un autre cancre mignon. Mais la Spencer de maintenant était la Star du jour, et elle devait se montrer à la hauteur de son titre.

Demain, la Star du jour irait piller les magasins de déco avec sa mère pour apporter une touche personnelle à la grange. Et peut-être même faire du vélo avec son père l'après-midi ; pendant le dîner, il lui avait montré des catalogues d'accessoires de cyclisme et demandé quel cadre Orbea elle préférait. C'était bien la première fois qu'il sollicitait son opinion.

Spencer pencha la tête sur le côté. Est-ce que quelqu'un venait de frapper à la porte ? Posant son critérium, elle jeta un coup d'œil par la baie vitrée. La lune argentée était pleine, et les fenêtres de la maison de ses parents brillaient d'une vive lumière jaune.

De nouveau, elle entendit frapper. Spencer se dirigea vers la lourde porte en bois et l'entrouvrit.

— Salut, chuchota Wren. Je ne te dérange pas ?

— Bien sûr que non.

Spencer ouvrit plus largement la porte. Wren était pieds nus ; il portait un T-shirt moulant de la fac de médecine de Pennsylvanie et un short baggy kaki. Spencer baissa les yeux vers sa brassière noire French Connection, son minishort de gym Villanova gris molletonné et ses jambes nues. Ses cheveux étaient attachés en une queue-de-cheval basse faite à la va-vite ; quelques mèches encadraient encore son visage.

Ça changeait des chemisiers Thomas Pink rayés et des jeans Citizen qu'elle portait habituellement. Son look de la journée sous-entendait : « Je suis sophistiquée et sexy », son look de la soirée : « Je suis studieuse, mais toujours sexy. » D'accord, elle avait peut-être choisi sa tenue dans le vague espoir que Wren lui rendrait visite. Mais ça prouvait bien que se balader en culotte de grand-mère et T-shirt ample avec une inscription J'AIME LES PERSANS n'était jamais une bonne idée.

— Comment ça va ? demanda-t-elle.

Une brise tiède agita ses mèches folles. Une pomme de pin tomba d'un arbre voisin et s'écrasa par terre avec un bruit sourd.

Wren hésitait sur le seuil de la grange.

— Tu ne devrais pas être en train de faire la fête? J'ai entendu dire que quelqu'un organisait une mégasoirée dans un champ.

Spencer haussa les épaules.

— Ça ne me disait rien.

Wren la regarda droit dans les yeux.

— Ah, bon?

Spencer eut l'impression que sa bouche se remplissait de coton.

— Euh... Où est Melissa?

— Elle dort. Les travaux de rénovation, ça doit être crevant. Alors, j'ai pensé que tu pourrais me faire visiter cette fameuse grange dans laquelle je ne peux pas habiter et que je n'ai même pas eu l'occasion de découvrir.

Spencer fronça les sourcils.

— Tu m'as apporté un cadeau de pendaison de crémaillère?

Wren pâlit.

— Oh, je...

— Je plaisante. (La jeune fille s'effaça pour le laisser entrer.) Bienvenue chez Spencer Hastings.

Elle avait passé une partie de la nuit précédente à fantasmer sur tout ce qui pourrait arriver si elle se retrouvait seule avec Wren, mais ses rêveries lui paraissaient bien ternes à côté de la présence réelle du jeune homme dans sa grange.

Wren se dirigea vers le poster de Thom Yorke et croisa les mains derrière sa tête.

— Tu aimes Radiohead?

— J'adore.

Le visage du jeune homme s'éclaira.

— J'ai dû les voir une bonne vingtaine de fois à Londres. Chaque concert était meilleur que le précédent.

Spencer lissa sa couette.

— Tu as de la chance. Moi, je ne les ai jamais vus sur scène.

— Il faut absolument y remédier, affirma Wren en s'appuyant contre le dossier du canapé. S'ils passent à Philadelphie, promis je t'emmène.

Spencer hésita.

— Mais je crois que...

Elle s'interrompit. Elle avait failli dire : « Je crois que Melissa ne les aime pas. » Puis elle avait réalisé que sa sœur... n'était peut-être pas invitée.

Elle entraîna Wren vers le dressing.

— Voici... euh... ma garde-robe, lança-t-elle en se cognant au chambranle de la porte. Avant, c'était une station de traite.

— Ah bon ?

— Oui. C'est ici que les fermiers tiraient sur les tétons des vaches.

Wren éclata de rire.

— Tu veux dire, sur leurs pis ?

— Euh... oui. (Spencer rougit. *Oups !*) Tu n'es pas obligé de regarder pour être poli. Je sais que les garçons ne s'intéressent pas aux fringues en général.

— Tu plaisantes ? grimaça Wren. Après avoir fait tout ce chemin, je tiens absolument à voir ce que Spencer Hastings a dans sa garde-robe.

— Comme tu voudras.

La petite pièce sentait le cuir, la naphtaline et le parfum Happy de Clinique. Spencer poussa sur l'interrupteur. Elle avait fourré tous ses sous-vêtements, ses chemises de nuit et ses vilaines tenues de hockey dans des paniers en osier ; ses hauts étaient suspendus en rangées impeccables et triés par couleur.

Wren gloussa.

— On se croirait dans un magasin.

— Je sais, dit Spencer d'un air un peu embarrassé, en laissant courir une main le long des manches de ses chemises.

— Je n'avais encore jamais vu de dressing avec fenêtre, ajouta Wren en désignant celle qui se découpait dans le mur du fond. C'est marrant.

— La fenêtre était déjà là du temps où cette grange abritait encore des animaux, expliqua Spencer.

— Ça ne te dérange pas que les gens te voient ?

— Il y a des rideaux !

— Dommage, dit doucement Wren. Tu étais si belle dans la salle de bains tout à l'heure. J'espérais que j'aurais encore l'occasion de te voir... comme ça.

Quand Spencer se retourna – *qu'est-ce qu'il venait de dire ?* – Wren la fixait en caressant l'ourlet d'un pantalon Joseph. Craignant de parler, elle fit glisser sa bague cœur Elsa Peretti de chez Tiffany le long de son doigt.

Le jeune homme fit un pas en avant, puis un autre, jusqu'à ce qu'il se retrouve planté devant elle. Spencer vit qu'il avait quelques taches de rousseur sur le nez. Dans un univers parallèle, son *alter ego* sage et poli aurait contourné Wren et poursuivi la visite guidée. Mais le jeune homme la fixait de ses grands yeux marron si expressifs, et la Spencer de cet univers-là mourait d'envie de...

Oh, et puis tant pis ! décida-t-elle en se mordillant les lèvres.

Cédant à son impulsion, elle ferma les yeux, se hissa sur la pointe des pieds et l'embrassa sur la bouche.

Wren n'hésita pas. Il la prit par la nuque et lui rendit son baiser avec fougue. Ses lèvres étaient douces et avaient un léger goût de tabac.

Spencer s'affaissa au milieu de ses T-shirts. Wren la suivit. Quelques vêtements glissèrent de leur cintre, mais elle n'y prêta aucune attention.

Les deux jeunes gens se retrouvèrent allongés sur la moquette moelleuse. D'un coup de pied, Spencer écarta ses crampons de hockey. Wren roula sur elle en poussant un léger gémissement. Elle empoigna le T-shirt du jeune homme à pleines mains et le tira par-dessus sa tête. Wren en fit autant puis lui caressa les jambes avec ses pieds. Ils roulèrent de nouveau et Spencer se retrouva dessus.

Une brusque poussée de... elle ne savait pas trop quoi, la submergea. Quoi que ce soit, c'était si intense qu'elle ne songea même pas à culpabiliser. Elle s'immobilisa sur lui, le souffle court.

Le jeune homme leva la tête et l'embrassa de nouveau, d'abord sur la bouche, puis dans le cou. Au bout d'un moment, il se leva.

— Je reviens tout de suite.

— Où vas-tu? s'étonna Spencer.

Du menton, Wren désigna la salle de bains, sur sa gauche.

Dès qu'elle l'entendit refermer la porte, Spencer bascula sur le dos et, à moitié étourdie, fixa les fringues qui la surplombaient. Puis elle se redressa et se traîna à quatre pattes jusqu'à sa psyché. Sa queue-de-cheval s'était défaite; ses cheveux tombaient librement sur ses épaules. Sa peau nue paraissait lumineuse, et elle avait le rouge aux joues. Elle adressa un sourire en coin à son reflet. C'était tout bonnement fabuleux!

À ce moment précis, le reflet de son écran d'ordinateur, situé en face du miroir, capta son attention. Il clignotait. Spencer tourna la tête et plissa les yeux. On aurait dit que des centaines de messages instantanés s'amoncelaient. Une nouvelle fenêtre s'ouvrit. Ce message-là était rédigé en corps 72. *Spencer cligna des yeux.*

A A A A A A : Je t'ai déjà dit que c'était MAL *d'embrasser le petit ami de ta sœur.*

Spencer se précipita vers son ordinateur et relut le message instantané. Elle se retourna vers la salle de bains : un minuscule rai de lumière filtrait sous la porte.

216

« A » n'était donc pas Andrew Campbell, en fin de compte. Quand elle avait embrassé Ian l'année de sa 5ᵉ, Spencer en avait parlé à Alison, espérant que son amie pourrait la conseiller. Ali avait longuement examiné ses pieds aux ongles vernis avant de répondre :

— Tu sais que j'ai toujours été de ton côté s'agissant de Melissa. Mais cette fois, c'est différent. Je pense que tu devrais tout lui avouer.

— Tout lui avouer ? s'était étranglée Spencer. Pas question ! Elle me tuerait !

— Tu crois vraiment que Ian va sortir avec toi ? avait ricané Ali.

— Je ne sais pas. Pourquoi pas ?

— Si tu n'en parles pas toi-même à ta sœur, il est possible que je m'en charge.

— Je te l'interdis !

— Ah oui ?

— Si tu me dénonces à Melissa, avait lancé Spencer après un silence, le cœur battant la chamade, je raconte tout pour l'affaire Jenna.

Ali avait éclaté de rire.

— Tu es aussi coupable que moi.

Spencer l'avait fixée durement.

— Peut-être, mais personne ne m'a vue.

Ali lui avait lancé un regard plus effrayant que jamais.

— Tu sais que j'ai réglé le problème.

Puis il y avait eu cette soirée dans la grange le dernier jour de classe. Quand Ali avait dit que Melissa et Ian allaient vraiment bien ensemble, Spencer avait réalisé que son amie pourrait très bien mettre sa menace à exécution. Et bizarrement, elle s'était sentie soulagée. *Vas-y, raconte tout.* Soudain, elle n'en avait plus rien à faire. Et même si c'était désormais affreux à dire, sur le coup, elle n'avait aspiré qu'à une chose : être débarrassée d'Ali.

À présent, elle avait la nausée. Elle entendit Wren tirer la chasse. Le jeune homme sortit de la salle de bains et s'immobilisa sur le seuil du dressing.

— Voilà. Où en étions-nous ? susurra-t-il.

Mais Spencer fixait encore l'écran de son ordinateur. Elle venait d'y voir bouger une tache rouge pareille à un reflet.

— Que se passe-t-il ? demanda Wren.

— Chut ! ordonna Spencer.

Oui, c'était bien un reflet. La jeune fille fit volte-face. Quelqu'un était planté devant la fenêtre du dressing.

— Merde, merde, merde ! jura-t-elle en plaquant sa brassière contre sa poitrine nue.

— Qu'y a-t-il ? interrogea Wren.

Spencer recula.

— Oh ! lâcha-t-elle, la gorge sèche.

— Oh ! répéta Wren en écho.

Melissa les fixait depuis l'autre côté de la fenêtre entrouverte. Ses cheveux en bataille la faisaient ressembler à Méduse, et son visage était absolument dénué d'expression. Une cigarette tremblait entre ses doigts menus.

— Je ne savais pas que tu fumais, dit enfin Spencer.

Melissa ne répondit pas. Elle tira encore une taffe sur sa clope, jeta le mégot dans l'herbe humide et repartit en direction de la maison.

— Tu viens, Wren ? jeta-t-elle froidement par-dessus son épaule.

25

$\mathcal{L}$ES JEUNES CONDUCTEURS, DE NOS JOURS !

Mona resta bouche bée en franchissant l'angle de la maison des Kahn.

— Putain de merde ! jura-t-elle.

Penchée par la vitre de la BMW du père de Sean, Hanna arborait un sourire démoniaque

— Ça te plaît ?

Les yeux de Mona s'illuminèrent.

— J'en reste sans voix.

Hanna fut satisfaite de sa réponse et but une gorgée au goulot de la bouteille de Ketel One qu'elle avait piquée. Deux minutes plus tôt, elle avait envoyé à Mona, par MMS, une photo de la BMW avec le message suivant : *Je suis toute lubrifiée et je t'attends à l'entrée pour une virée d'enfer.*

Mona ouvrit la lourde portière passager et se glissa sur le siège. Se penchant vers Hanna, elle fixa intensément le logo BMW incrusté dans le volant.

— C'est trop beau…, murmura-t-elle en suivant le contour des triangles bleus et blancs de son auriculaire.

Hanna écarta sa main d'un geste désapprobateur.

— Tu es complètement stone, hein?

Mona releva le menton et détailla Hanna, ses cheveux décoiffés, sa robe de travers et son visage ruisselant de larmes.

— Ça ne s'est pas bien passé avec Sean, pas vrai?

Hanna baissa les yeux et enfonça rageusement la clé de contact.

Mona se jeta sur elle pour l'étreindre.

— Oh, Han, je suis désolée… Que s'est-il passé?

— Rien. Peu importe.

Hanna se dégagea et chaussa ses lunettes de soleil – elle avait un peu de mal à y voir avec, mais qui s'en souciait? – avant de démarrer. Le moteur rugit, et toutes les lumières du tableau de bord s'allumèrent.

— Trop beau! s'écria Mona. On se croirait au Club Shampoo!

Hanna enclencha brutalement la marche arrière, et les pneus écrasèrent l'herbe épaisse. Puis elle passa la marche avant et donna un grand coup de volant en appuyant violemment sur l'accélérateur. Elle était bien trop énervée pour s'inquiéter de voir la double ligne blanche sur la route se transformer en une ligne quadruple.

— Yi-ah! glapit Mona en baissant la vitre pour laisser ses longs cheveux blonds flotter au vent.

Hanna alluma une Parliament et fit défiler les stations jusqu'à ce qu'elle tombe sur un vieux morceau de rap, *Baby Got Back*. Elle mit alors le volume à fond. Les parois de l'habitacle se mirent à vibrer. Bien entendu, la BMW était équipée de ce qui se faisait de mieux en matière de basses.

— Je préfère ça à radio Sirius, dit Mona.

— Et moi donc!

Tandis qu'Hanna prenait un virage un peu trop rapidement, quelque chose lui vint à l'esprit.

Je ne crois pas que tu sois cette personne-là.

Aïe.

Tu n'es même pas la préférée de ton père.

Double aïe.

Qu'ils aillent tous se faire foutre! La jeune fille, pied au plancher, faillit renverser une boîte aux lettres en forme de chien.

— Il faut qu'on aille quelque part où on pourra se montrer avec cette putain de caisse. (Mona posa ses sandales Miu Miu maculées d'herbe et de terre sur le tableau de bord.) Pourquoi pas chez Wawa? Je crève d'envie de manger un Tastykake.

Hanna gloussa et but une autre gorgée de Ketel One.

— Toi, tu dois vraiment être cuite.

— Je suis plus que cuite, je suis carbonisée, acquiesça aimablement Mona.

Elles se garèrent de travers sur le parking de la supérette, puis se dirigèrent vers l'entrée en titubant et en beuglant : « *I like big butts and I cannot lie*[1]*!* » Deux livreurs mal rasés, adossés à leur camion un maxi gobelet de café à la main, les fixèrent la bouche ouverte.

— Vous me donnez votre chapeau? demanda Mona au plus maigre des deux en désignant sa casquette WAWA FARMS.

Sans un mot, le type la lui tendit.

— Beurk! chuchota Hanna. Ce truc doit être plein de germes!

Mais Mona l'avait déjà mise sur sa tête.

---

1. Chanson de Sir Mix-A-Lot : « J'aime les gros culs, je peux pas dire le contraire ». (N.d.T.)

Mona acheta seize Tastykake au caramel, le dernier *US Weekly* et une énorme bouteille de Malibu; Hanna ne prit qu'une barre chocolatée à dix cents. Mais pendant que son amie avait le dos tourné, elle fourra un Snickers et un paquet de M&M's dans son sac.

— J'entends la voiture, dit rêveusement Mona tandis qu'elles payaient. Elle beugle.

En effet, dans la douce torpeur alcoolisée qui l'enveloppait, Hanna avait accidentellement déclenché l'alarme.

— Oups! gloussa-t-elle.

Éclatant de rire, les deux filles remontèrent dans la BMW. Elles s'arrêtèrent à un feu rouge en remuant la tête au rythme de la chanson diffusée à la radio. Sur leur gauche, hormis quelques chariots épars sur le parking, le centre commercial était vide. Les enseignes lumineuses brillaient dans la nuit, même le grill-restaurant avait fermé.

— Les gens sont vraiment trop pantouflards dans le coin, dit Hanna avec un geste agacé.

La nationale était elle aussi déserte. Du coup, la jeune fille poussa un petit cri de surprise lorsqu'une voiture s'immobilisa à côté de la sienne sur la file de gauche. C'était une Porsche argentée au nez pointu, aux vitres teintées et aux étranges phares bleus.

— Vise ça, dit Mona, des miettes de Tastykake s'échappant de sa bouche.

Comme les deux filles admiraient le bolide, le conducteur fit rugir son moteur.

— Il veut faire la course, chuchota Mona.

— Tu crois?

Hanna n'arrivait pas à distinguer la personne au volant, elle n'apercevait que le bout rouge de sa cigarette. Soudain, elle fut prise de malaise.

Le moteur de la Porsche émit un nouveau rugissement.

Puis un troisième. Pas de doute, le conducteur leur lançait un défi. Hanna tourna la tête vers Mona et haussa un sourcil. Elle se sentait soûle, défoncée et totalement invincible.

— Vas-y, souffla Mona en baissant la visière de la casquette Wawa.

Hanna déglutit. Le feu passa au vert. Elle écrasa la pédale d'accélérateur et la BMW partit en trombe. Mais la Porsche avait déjà une bonne longueur d'avance.

— Ne te laisse pas distancer! lança Mona.

Hanna accéléra et parvint à rattraper son adversaire. Le compteur monta jusqu'à cent trente kilomètres/heure, puis cent quarante, puis cent cinquante, puis cent soixante. Conduire à cette vitesse était encore plus grisant que de voler dans les magasins.

— Botte-lui le cul! hurla Mona.

Le cœur battant à tout rompre, Hanna mit le pied au plancher. À présent, elle parvenait tout juste à distinguer ce que lui disait Mona par-dessus le ronflement du moteur.

Au moment où la BMW s'engageait dans un virage, un cerf fit irruption sur la route.

— Merde! jura Hanna.

Le cerf s'était bêtement immobilisé sur sa voie. Agrippant le volant de toutes ses forces, la jeune fille enfonça la pédale de frein et braqua vers la droite. Le cerf s'en fut d'un bond. Hanna voulut redresser le véhicule, mais il fit une embardée. Les pneus dérapèrent sur le gravier du bas-côté et la BMW partit en tête-à-queue.

Elle effectua plusieurs tours sur elle-même avant de heurter quelque chose. Il y eut d'abord un bruit de tôle froissée et de verre brisé, puis… le noir total.

Une seconde plus tard, le seul bruit encore audible était le sifflement persistant qui provenait de sous le capot.

Lentement, Hanna se toucha le visage. Ça allait, rien ne

l'avait heurtée et elle pouvait encore bouger les jambes. Elle se redressa tant bien que mal, engoncée dans un amas de tissu gonflé – l'Airbag.

Elle jeta un coup d'œil au siège passager. Les longues jambes de Mona s'agitaient frénétiquement sous son propre Airbag.

— Ça va? demanda Hanna en essuyant ses larmes.

— Débarrasse-moi de ce truc!

Elle sortit de la voiture, puis tira Mona.

Une fois dehors, les deux filles restèrent un moment plantées sur le bord de la nationale, tentant de reprendre leur souffle. De l'autre côté de la rue, elles voyaient la ligne de chemin de fer et la gare de Rosewood, mais aucune trace de la Porsche ni du cerf qu'elles avaient failli percuter. Un peu plus loin sur la route, le feu passa au rouge.

— Tu parles d'une aventure…, lâcha Mona d'une voix tremblante.

Hanna acquiesça.

— Tu es sûre que ça va?

Elle jeta un coup d'œil à la BMW. Tout l'avant était plié autour d'un poteau téléphonique. Le pare-chocs s'était détaché d'un côté et touchait le sol. Un des phares était bizarrement tordu et l'autre clignotait fébrilement. Une fumée nauséabonde s'échappait du capot enfoncé.

— Tu crois qu'elle va exploser? interrogea Mona, vaguement inquiète.

Hanna gloussa. Ça n'était pas censé être drôle, et pourtant ça l'était.

— Qu'est-ce qu'on fait maintenant?

— On devrait se tirer, suggéra Mona. D'ici, on peut rentrer chez nous à pied.

— Oh, mon Dieu! Sean va faire dans son froc! s'esclaffa

Hanna en mettant une main devant sa bouche pour contenir son hilarité.

Peine perdue. Les deux filles partirent dans un fou rire. Prise de hoquet, Hanna se tourna vers la route déserte et ouvrit grand les bras. Se tenir plantée au milieu d'une nationale à quatre voies avait quelque chose de grisant. Il lui semblait que tout Rosewood lui appartenait et que le monde tournoyait autour d'elle, mais c'était peut-être les effets de l'alcool.

Elle jeta la clé de la BMW près de l'épave. L'impact contre le bitume redéclencha l'alarme. Très vite, Hanna se baissa et appuya sur le bouton pour la désactiver. La voiture cessa son raffut.

— C'est vraiment nécessaire que ce soit aussi bruyant? se plaignit la jeune fille.

— Ouais, c'est abusé, renchérit Mona en remettant ses lunettes de soleil. Le père de Sean devrait vraiment faire quelque chose.

26

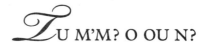

Tu m'm? o ou n?

La pendule du couloir sonnait juste neuf coups samedi matin quand Emily descendit sur la pointe des pieds à la cuisine. D'habitude, elle ne se levait pas si tôt le week-end, mais aujourd'hui, elle s'était réveillée de bonne heure et n'avait pas réussi à se rendormir.

Quelqu'un avait préparé le café, et une assiette à motif poulets, remplie de petits pains aux raisins, reposait sur la table. Apparemment, M. et Mme Fields étaient sortis pour leur promenade matinale du samedi – une tradition à laquelle ils ne dérogeaient jamais, qu'il pleuve, qu'il vente ou qu'il neige. S'ils faisaient leurs deux tours de quartier habituels, Emily avait une chance de quitter la maison sans que personne s'en aperçoive.

La veille, après avoir été surprise par Ben dans la cabine de Photomaton avec Maya, Emily s'était enfuie de la soirée sans même dire au revoir à son amie. Elle avait appelé Carolyn – qui se trouvait bien chez Applebee's – et lui avait demandé de passer la chercher de toute urgence. Carolyn avait aussitôt rappliqué avec son petit ami Topher, et n'avait posé aucune question. Mais quand Emily, qui empestait le whisky, était montée à l'arrière de la Volvo, sa sœur lui avait jeté un regard sévère.

Une fois à la maison, elle s'était planquée sous ses couvertures pour ne pas être obligée de parler à Carolyn, et avait presque aussitôt sombré dans un profond sommeil. Ce matin pourtant, elle se sentait plus mal que jamais.

Elle ne savait pas trop quoi penser de ce qui s'était passé chez les Kahn. Tout se brouillait dans sa tête. Elle voulait croire qu'embrasser Maya avait été une erreur, qu'elle pouvait tout expliquer à Ben et que les choses rentreraient dans l'ordre. Mais elle avait trouvé ça si agréable... comme si personne avant elle ne l'avait embrassée.

Rien ne laissait supposer à Emily qu'elle pouvait être lesbienne. Elle achetait des tas de produits de soin pour ses cheveux endommagés par le chlore. Elle avait punaisé un poster du nageur australien supersexy Ian Thorpe, au mur de sa chambre. Elle gloussait avec les autres filles de l'équipe quand les garçons passaient devant elles avec leurs minuscules maillots moulants. Elle n'avait embrassé qu'une seule autre fille, des années plus tôt, et ça ne comptait pas. Et quand bien même ça compterait, ça ne signifiait rien, pas vrai ?

Emily coupa un petit pain en deux et en fourra une moitié dans sa bouche. Elle avait mal à la tête et voulait que les choses redeviennent comme avant. Mettre une serviette propre dans son sac de sport et aller à l'entraînement, faire des grimaces devant l'appareil photo numérique d'une de ses copines dans le bus scolaire, se satisfaire de sa vie et ne pas avoir l'impression que son cœur jouait au yo-yo en permanence.

Bon, ça réglait la question. Maya était géniale, mais la veille, elles se sentaient toutes les deux un peu perdues et tristes. Cela voulait-il dire qu'elles étaient lesbiennes pour autant ?

Emily avait besoin d'air.

Dehors, les oiseaux gazouillaient bruyamment et un chien aboyait au fond d'un jardin, mais rien ne bougeait dans les rues désertes. Les journaux tout juste livrés gisaient encore sur les pelouses, enveloppés de leur plastique bleu.

Le vieux VTT rouge d'Emily était appuyé contre le mur de la cabane à outils. La jeune fille s'en saisit, espérant qu'elle était en état de faire du vélo malgré le whisky dont elle avait abusé la veille. Elle l'enfourcha et se mit à pédaler, lorsqu'un drôle de petit bruit l'incita à s'arrêter.

Les sourcils froncés, elle se pencha sur le côté. Quelque chose était coincé entre les rayons de sa roue avant – une feuille de calepin. Elle la dégagea et reconnut aussitôt l'écriture. C'était la sienne.

... J'adore regarder ta nuque quand tu es assise devant moi en classe, j'adore la façon dont tu mâches du chewing-gum quand on se parle au téléphone, et quand tu balances tes Skechers pendant que Mme Hat relate les plus célèbres procès américains, je sais que tu t'ennuies à mourir.

Emily promena un regard nerveux à la ronde. S'agissait-il bien de ce qu'elle croyait ? La bouche sèche, elle sauta un ou deux paragraphes pour aller directement au bas de la page.

... J'ai beaucoup réfléchi à ce qui m'a poussée à t'embrasser l'autre jour. Je viens juste de me rendre compte que ce n'était pas une plaisanterie, Ali. Je crois que je t'aime. Si tu ne veux plus jamais m'adresser la parole, je comprendrai, mais il fallait que je te le dise.

— *Em*

Quelque chose d'autre était écrit au verso de la feuille. Emily la retourna.

J'ai pensé que tu voudrais récupérer ça.

Bisous,

—A

Emily lâcha son vélo, qui tomba sur le sol avec fracas.

Il s'agissait de la fameuse lettre qu'elle avait envoyée juste après l'avoir embrassée dans la cabane, celle dont elle ignorait si son amie l'avait jamais reçue.

Calme-toi, s'exhorta-t-elle en réalisant que ses mains tremblaient. *Il doit y avoir une explication rationnelle.*

Ce devait être Maya. Elle habitait dans l'ancienne chambre d'Ali, et Emily lui avait parlé de la lettre la veille. Peut-être avait-elle simplement voulu la lui rendre ?

D'un autre côté... Pourquoi Maya aurait-elle signé « A » ?

Emily ne savait pas quoi faire ni à qui parler. Soudain, elle pensa à Aria. Tant de choses s'étaient passées la veille qu'elle avait oublié leur brève conversation en début de soirée. Que signifiaient toutes ces questions étranges sur Alison ? Et puis elle lui avait semblé tellement nerveuse...

Emily s'assit par terre et relut le message de « A ». Si ses souvenirs étaient exacts, l'écriture pointue d'Aria ressemblait fort à celle-ci.

Les quelques jours qui avaient précédé sa disparition, Ali s'était servi du baiser dans la cabane comme d'une menace, forçant Emily à faire tout ce qu'elle voulait. Emily n'avait jamais vraiment envisagé que son amie puisse tout révéler au reste de la bande, mais peut-être que...

— Chérie ?

Emily sursauta. Ses parents la regardaient d'un air étonné. Tous deux portaient des baskets blanches, un short taille haute et un polo de golf pastel bon chic bon genre. En outre, son père avait une banane rouge autour de la taille, et sa mère portait de petits haltères turquoise à bout de bras.

— Salut, grommela la jeune fille.

— Tu pars faire un tour en vélo ? interrogea sa mère.

— Oui...

— Mais tu es punie. (Son père chaussa ses lunettes

comme s'il avait besoin de bien distinguer sa fille pour la réprimander.) Nous t'avons laissée sortir hier soir uniquement parce que Ben t'accompagnait. Nous espérions qu'il parviendrait à te faire entendre raison. Mais tu n'as pas droit aux promenades en vélo.

— Tant pis, maugréa Emily en se levant.

Si seulement elle n'était pas constamment obligée de se justifier auprès de ses parents. Peu importe... Elle ne se sentait pas d'humeur à leur parler. Pas maintenant. Elle redressa son VTT et l'enfourcha.

— Je dois me rendre quelque part, marmonna-t-elle en s'éloignant.

— Emily, reviens ici! aboya son père.

Mais pour la première fois de sa vie, Emily l'ignora et continua à pédaler.

27

$\mathcal{N}$E VOUS PRÉOCCUPEZ PAS DE MOI, JE SUIS JUSTE MORTE!

Aria fut réveillée par des coups de sonnette insistants. Sauf qu'il ne s'agissait pas de la mélodie habituelle, mais de *American Idiot* de Green Day qui lui carillonnait dans les oreilles. Quand ses parents l'avaient-ils changée?

Repoussant sa couette, la jeune fille enfila les sabots bleus à fleurs, bordés de fourrure, qu'elle avait achetés à Amsterdam et descendit l'escalier en colimaçon pour voir qui rendait visite aux Montgomery à une heure aussi matinale.

En ouvrant la porte, elle s'étrangla presque de surprise. Alison se tenait devant elle. Elle avait bien grandi depuis la 5e, et ses cheveux blonds étaient à présent dégradés. Son visage paraissait un peu plus mince et anguleux qu'à l'époque.

— Ta-dam! s'exclama-t-elle en écartant les bras. Je suis de retour!

— Merde alors! bafouilla Aria. (Elle cligna des yeux.) Où étais-tu passée?

Ali leva les yeux au ciel.

— Mes crétins de parents… Tu te souviens de ma tante Camille, la cool qui est née en France et qui a épousé mon oncle Jeff quand on était en 5e? Cet été-là, je suis allée lui rendre visite à Miami. Et ça m'a tellement plu que j'ai décidé de rester. Mes parents étaient au courant, mais je suppose qu'ils ont dû oublier de transmettre le message.

Aria se frotta les yeux.

— Attends, tu étais à… Miami? Tu vas bien?

Ali fit un tour sur elle-même pour se faire admirer.

— J'ai l'air d'aller plus que bien, non? Au fait, tu as aimé mes textos?

Le sourire d'Aria s'évanouit.

— Euh… non, pas tellement.

Ali parut blessée.

— Pourquoi? Celui à propos de ta mère était super-marrant.

Aria la fixa sans répondre.

— Ce que tu peux être susceptible! (Ali plissa les yeux.) Tu comptes me repousser une nouvelle fois?

Aria fronça les sourcils.

— Hein? De quoi parles-tu?

Alison la dévisagea longuement et vit une substance noire gélatineuse commencer à s'échapper de son nez.

— J'ai tout dit aux autres, tu sais. Pour ton père. Elles sont au courant.

— Ton… nez, bredouilla Aria en le montrant du doigt.

Soudain, le même fluide noir se mit à suinter des ongles et des yeux d'Alison, comme si elle pleurait de l'huile de vidange.

— Oh, je suis en train de pourrir, sourit la jeune fille. Rien de grave.

Aria se réveilla en sursaut. Sa nuque était trempée de sueur. Le soleil entrait à flots par la fenêtre, et dans la chambre voisine, la stéréo de son frère vomissait *American Idiot*. Aria examina ses mains, mais elles étaient parfaitement propres.

Ouah...

— Bonjour, ma chérie.

Encore un peu hébétée, Aria atteignit le pied de l'escalier en colimaçon et découvrit son père en train de lire le *Philadelphia Inquirer*, vêtu d'un boxer écossais et d'un marcel blanc.

— Bonjour, murmura-t-elle.

Elle se traîna jusqu'à la machine à espresso. Pendant un long moment, elle fixa les épaules pâles de son père et leurs poils épars. De temps en temps, Byron remuait les pieds et hochait la tête en faisant : « Mmmh ».

— Papa ? lança Aria d'une voix légèrement éraillée.

— Oui ?

Elle s'accouda au comptoir en pierre de lave.

— Est-ce que les fantômes peuvent envoyer des textos ?

Surpris et perplexe, Byron leva les yeux de son journal.

— Qu'est-ce que c'est un texto ?

Aria plongea la main dans une boîte de céréales et en sortit une poignée qu'elle fourra dans sa bouche.

— Laisse tomber.

— Tu es sûre ?

Elle mâcha nerveusement. Que voulait-elle lui demander au juste ? *Se peut-il qu'un fantôme m'envoie des textos ?* Allons, elle n'était pas assez naïve pour croire à ces bêtises ! Et puis, elle ne voyait pas pourquoi le fantôme d'Ali chercherait à se venger d'elle.

Ali avait été géniale le jour où elles avaient surpris Byron dans sa voiture. Aria s'était enfuie en courant et n'avait ralenti que lorsque ses jambes ne parvinrent plus à la porter. Ne sachant quoi faire, elle était rentrée chez elle en marchant. Ali l'avait rattrapée et prise dans ses bras.

— Je n'en parlerai à personne, lui avait-elle chuchoté à l'oreille.

Mais dès le lendemain, elle avait bombardé Aria de questions. *Tu connais cette fille? C'est une de ses élèves? Tu crois qu'il va tout avouer à ta mère? Tu crois qu'il a l'habitude de se taper des étudiantes?*

En règle générale, Aria supportait assez bien la curiosité d'Ali. Ça ne la dérangeait pas que son amie la taquine – elle avait l'habitude d'être l'« extraterrestre » de leur petite bande. Mais cette fois, c'était différent. Ça la blessait.

Les derniers jours de classe, avant qu'Ali ne disparaisse, Aria avait donc tout fait pour l'éviter. Elle avait arrêté de lui envoyer des textos pendant les cours de sciences nat pour lui dire qu'elle s'ennuyait, elle ne l'avait pas aidée à débarrasser son casier, et elle ne lui avait certainement pas dit un mot au sujet de l'incident avec son père. Elle était furieuse qu'Ali se permette de fouiller dans la vie de sa famille, comme si elle était une de ces célébrités qui faisaient régulièrement la une des journaux à scandales. Elle était furieuse qu'Ali soit au courant. Point.

À présent, avec le recul, elle réalisait que la seule personne à qui elle en voulait à l'époque, ce n'était pas Ali mais son père.

— Oui, oui. Ça n'a aucune importance, dit-elle à Byron qui attendait patiemment en sirotant son café. Je suis mal réveillée.

— Très bien, répondit son père sans conviction.

Quelqu'un sonna à la porte. Cette fois, ce n'était pas *American Idiot*, mais la mélodie habituelle. Byron leva les yeux de son journal.

— Ça doit être pour Mike. Tu sais qu'une des filles du

lycée quaker est passée le voir à huit heures et demie ce matin?

— J'y vais, proposa Aria.

Elle ouvrit la porte, mais ce n'était qu'Emily Fields, ses cheveux blond-roux en bataille et les yeux cernés.

— Salut, grommela-t-elle.

— Salut.

Emily gonfla les joues – un vieux tic. Elle faisait toujours ça quand elle était nerveuse. Elle resta un moment muette en face d'Aria, puis murmura :

— Je ferais mieux d'y aller.

Et elle tourna les talons.

— Attends! protesta Aria en lui saisissant le bras. Que se passe-t-il?

Emily s'immobilisa.

— Je... Tu vas trouver ça bizarre.

— Pas forcément.

Le cœur d'Aria se mit à battre plus fort dans sa poitrine.

— J'ai repensé à ce que tu m'as dit hier soir. À propos d'Ali. Je me demandais... si elle vous avait raconté quelque chose à mon sujet.

Emily avait parlé à voix basse. Aria repoussa sa frange en arrière.

— Quand? chuchota-t-elle. Récemment?

Emily écarquilla les yeux.

— Comment ça, récemment?

— Je...

Aria hésita.

— Quand on était en 5ᵉ, précisa Emily. Est-ce qu'elle vous a raconté quelque chose me concernant peu de temps avant sa disparition?

Aria cligna des yeux. La veille, chez les Kahn, elle avait

abordé Emily dans l'idée de lui parler des mystérieux textos.

— Non, répondit-elle lentement. Elle ne parlait jamais de toi dans ton dos.

— Oh… (Emily fixa ses pieds.) Mais je…, commença-t-elle.

— J'ai reçu des…, dit Aria en même temps.

Puis le regard d'Emily fut attiré par quelque chose et elle s'interrompit.

— Mademoiselle Emily Fields! Ça alors! Bonjour!

Aria se retourna. Byron se tenait derrière elle. Enfin, il avait au moins eu la décence d'enfiler un peignoir rayé.

— Je ne t'avais pas vue depuis une éternité! tonna-t-il.

— C'est vrai. (Emily gonfla de nouveau les joues.) Comment allez-vous, monsieur Montgomery?

Byron se rembrunit.

— S'il te plaît. Tu es assez grande pour m'appeler par mon prénom, maintenant. (Il se gratta le menton avec le rebord de son mug.) Comment ça va? Bien?

— Très bien, reprit Emily, qui semblait sur le point de se mettre à pleurer.

— Tu veux manger quelque chose? proposa Byron. Tu as l'air affamée.

— Oh, non, merci, bredouilla-t-elle. C'est juste que… je n'ai pas très bien dormi cette nuit.

— Ah, les jeunes! (Byron secoua la tête.) Vous ne dormez jamais. Je ne cesse de répéter à Aria de faire des nuits de onze heures, de se constituer des réserves de sommeil, en prévision de la fac quand elle fera la fête tous les soirs.

Sur ces bonnes paroles, il se détourna et commença à monter l'escalier.

Dès qu'il sortit de son champ de vision, Aria reporta son attention sur Emily et soupira :

— Il est tellement... (Puis elle réalisa que son amie avait rebroussé chemin et se dirigeait vers son VTT abandonné sur la pelouse.) Hé! l'interpella-t-elle. Où vas-tu?

Emily ramassa son vélo.

— Je n'aurais pas dû venir.

— Attends! protesta Aria. Reviens! Il faut que je te parle!

Emily s'interrompit et leva les yeux. Aria sentit les mots s'agiter dans sa bouche tel un essaim d'abeilles luttant pour sortir.

Son amie semblait terrifiée. Soudain, elle eut peur de s'ouvrir à elle. Comment pourrait-elle lui parler des textos signés «A» sans mentionner son secret? Elle ne voulait toujours pas que qui que ce soit l'apprenne. Surtout avec sa mère à l'étage.

Puis elle pensa à Byron en peignoir. Emily avait eu l'air tellement mal à l'aise en sa présence! Et puis pourquoi avoir demandé si Ali leur avait raconté quelque chose à son sujet quand elles étaient en 5e. Pourquoi se poser une question pareille, à moins que...?

Aria se mordit l'ongle du petit doigt. Et si Emily connaissait déjà son secret? Paralysée par l'inquiétude, elle ferma la bouche et pinça les lèvres.

Emily secoua la tête.

— À plus, marmonna-t-elle.

Avant qu'Aria ne puisse se ressaisir, elle enfourcha son VTT et s'éloigna en pédalant à toute vitesse.

28

EN FAIT, BRAD ET ANGELINA SE SONT RENCONTRÉS AU COMMISSARIAT DE ROSEWOOD

— Mesdames, montrez-vous !

Tandis que le public d'Oprah applaudissait à tout rompre, Hanna s'enfonça dans les coussins du canapé en cuir couleur café, la télécommande posée en équilibre sur son ventre nu. Un peu de psychologie et d'exploration de soi ne lui ferait pas de mal en ce samedi matin plutôt frisquet.

Ses souvenirs de la nuit passée étaient assez flous, comme si elle était sortie sans mettre ses lentilles, et une forte migraine la taraudait. Elle croyait se rappeler d'un animal – lequel, elle aurait été bien en peine de le dire. Dans son sac, elle avait trouvé des emballages de confiserie vides. Avait-elle vraiment englouti toutes ces cochonneries ? Possible, elle avait mal au ventre et ce dernier avait l'air un peu gonflé. Et pourquoi l'image d'un camion Wawa lui revenait-elle en tête ? C'était comme tenter d'assembler les pièces d'un puzzle. Or, Hanna n'avait jamais eu la patience d'en finir un seul de toute sa vie.

Quelqu'un sonna à la porte. La jeune fille grogna, roula sur le côté et se releva sans prendre la peine de rajuster sa brassière côtelée kaki, tellement de travers qu'un de ses seins sortait presque par le décolleté. Elle entrouvrit la porte en chêne et la referma aussitôt.

Wouah! C'était le flic, Mister Avril. Euh... Darren Wilden.

— Ouvre, Hanna.

Elle observa le jeune homme par le judas. Il se tenait sous le porche, les bras croisés et l'air sévère. Mais ses cheveux étaient ébouriffés, et Hanna ne voyait son flingue nulle part. De toute façon, quel genre de flic bossait à dix heures du matin par un beau samedi comme celui-là, où le ciel bleu d'azur et l'air vif appelaient à la promenade?

Hanna jeta un coup d'œil à son reflet dans le miroir rond accroché de l'autre côté de la pièce. Doux Jésus! Elle avait encore les marques de l'oreiller sur la joue. Ses yeux étaient gonflés, et ses lèvres avaient désespérément besoin d'une couche de gloss. Très vite, elle passa les mains sur sa figure, se confectionna une queue-de-cheval avec un élastique qui traînait et chaussa ses grosses lunettes de soleil Chanel. Puis elle ouvrit grand la porte.

— Salut! lança-t-elle joyeusement. Comment ça va?

— Ta mère est là? demanda Wilden.

— Non, répondit Hanna d'un air entendu. Elle ne rentrera pas avant midi.

Wilden fit la moue. Hanna remarqua qu'il avait un petit pansement transparent au-dessus du sourcil.

— Votre petite amie vous en a collé une? gloussa-t-elle en désignant le pansement du doigt.

— Non... (Wilden porta une main au pansement.) Je me suis cogné à mon armoire à pharmacie en me lavant le visage. (Il leva les yeux au ciel.) Je ne suis pas la personne la plus adroite du monde le matin au saut du lit.

Hanna sourit.

— Bienvenue au club. La nuit dernière, je me suis étalée par terre, je ne sais même pas pourquoi.

Wilden redevint brusquement sérieux.

— C'était avant ou après que tu voles la voiture ?

Hanna eut un mouvement de recul.

— Comment ça ?

Pourquoi Wilden la fixait-il comme s'il s'agissait d'une extraterrestre ?

— Un appel anonyme nous a prévenus que tu avais volé une voiture, énonça-t-il lentement.

Hanna en resta bouche bée.

— Que j'avais... quoi ?

— Une BMW noire. Appartenant à un certain M. Edwin Ackard. Tu as percuté un poteau téléphonique avec. Après avoir descendu une bouteille de Ketel One. Ça ne te dit toujours rien ?

Hanna remonta ses lunettes de soleil sur son nez. Alors, voilà ce qui s'était passé...

— Je n'étais pas soûle hier soir, mentit-elle.

— Nous avons trouvé une bouteille de vodka par terre du côté conducteur, riposta Wilden.

— Mais..., protesta Hanna.

— Il faut que je t'emmène au poste, coupa Wilden, l'air un peu déçu.

— Je n'ai rien volé, couina Hanna. Sean – son fils – m'a dit que je pouvais l'emprunter !

Wilden haussa un sourcil.

— Donc, tu admets que tu étais au volant ?

— Je... (*Et merde !* Hanna recula.) Mais ma mère n'est même pas là, gémit-elle. Elle va me chercher.

Ses yeux se remplirent brusquement de larmes. Mortifiée, elle se détourna et tenta de se ressaisir.

Wilden se dandina mal à l'aise. Il semblait ne pas savoir quoi faire de ses mains – d'abord, il les fourra dans ses poches, puis il fit mine de les tendre vers Hanna, mais se contenta finalement de les tordre nerveusement.

— Écoute, on appellera ta mère du commissariat, proposa-t-il enfin. Je ne te passerai pas les menottes et je t'autorise à monter devant avec moi.

Il se dirigea vers sa voiture et ouvrit la portière côté passager pour Hanna.

Une heure plus tard, la jeune fille était assise sur le même banc jaune que la fois précédente, fixant la même affiche sur laquelle figuraient le nom et la photo des criminels les plus recherchés du comté de Chester. On venait de lui faire une prise de sang pour déterminer si elle était encore soûle. Elle ignorait combien de temps l'alcool restait dans le sang. Penché sur le même bureau, Wilden était entouré des mêmes Bic et du même Slinky métallique.

Hanna se pinça la paume avec ses ongles et déglutit. Malheureusement, les événements de la veille lui revenaient en mémoire. La Porsche, le cerf, l'Airbag... Sean lui avait-il vraiment permis d'emprunter la voiture de son père? Elle en doutait. Le dernier souvenir qu'elle avait de lui remontait au petit discours paternaliste qu'il lui avait tenu avant de la planter dans les bois.

— Hé, tu étais au festival de Swarthmore hier soir?

Un type d'une vingtaine d'années, avec une coupe à la brosse et un monosourcil, était assis près d'Hanna. Il portait une chemise en flanelle déchirée, un jean maculé de peinture, et était pieds nus. Les menottes aux poignets.

— Euh... non, marmonna Hanna.

Le type se pencha vers elle, et elle sentit son haleine alcoolisée.

— Oh. Je croyais t'avoir vue là-bas. Moi, j'y étais. J'ai trop picolé et je me suis mis à courir après les vaches de quelqu'un. C'est pour ça que je me suis fait coffrer par les flics – pour m'être introduit sur une propriété privée.

— Tant mieux pour toi, répondit-elle froidement.

— Comment tu t'appelles? demanda le type en faisant tinter ses menottes.

— Angelina.

Comme si elle allait lui donner son vrai nom!

— Salut, Angelina. Moi, c'est Brad.

La situation était tellement pathétique qu'Hanna ne put réprimer un sourire.

À cet instant, la porte du commissariat s'ouvrit. Hanna se radossa et remonta ses lunettes de soleil sur son nez. C'était sa mère. Génial.

— Je suis venue dès que j'ai su, dit Mme Marin à Wilden.

Ce matin-là, elle portait un T-shirt blanc à encolure bateau tout bête, un jean James taille basse, des mules Gucci et les mêmes lunettes de soleil Chanel qu'Hanna. Son teint était radieux – elle avait passé la matinée à l'institut de beauté – et elle avait relevé ses cheveux roux en une simple queue-de-cheval. Hanna plissa les yeux. Est-ce que sa mère avait rembourré son soutien-gorge? Ses seins semblaient deux fois plus gros que d'habitude.

— Je vais lui parler, chuchota-t-elle à Wilden.

Puis elle se dirigea vers sa fille. Elle sentait encore les bandelettes aux algues. Persuadée qu'elle-même empestait le Ketel One et les gaufres Eggo, Hanna se recroquevilla sur son banc.

— Je suis d-désolée, bredouilla-t-elle.

— Ils t'ont fait une prise de sang? l'interrogea-t-elle en s'asseyant à ses côtés.

Hanna acquiesça misérablement.

— Que leur as-tu dit d'autre?

— R-rien.

Mme Marin entrelaça ses doigts manucurés à la française.

— D'accord. Je m'occupe de tout. Contente-toi de garder le silence, lui ordonna-t-elle à voix basse.

— Qu'est-ce que tu vas faire? Tu vas appeler le père de Sean?

— Je t'ai dit que je m'occupais de tout, Hanna.

La mère de la jeune fille se leva et retourna vers le bureau de Wilden.

Restée seule, Hanna fouilla dans son sac en quête du paquet de bonbons qu'elle gardait pour les cas d'urgence. Elle en mangerait juste un ou deux, histoire de se calmer. Où étaient donc ces fichues friandises?

Au moment où elle parvint à mettre la main dessus, Hanna sentit son BlackBerry vibrer. Elle hésita. Et si c'était Sean qui l'insultait sur sa boîte vocale? Et si c'était Mona? D'ailleurs, en parlant de Mona – où était-elle passée? La police l'avait-elle laissée se rendre à son tournoi de golf? Elle n'était pas responsable du vol de la voiture, mais elle avait accompagné Hanna dans sa virée. Ce n'était tout de même pas rien.

Le BlackBerry indiquait plusieurs appels manqués. Sean, six. Mona, deux, à huit heures et huit heures trois. Plus quelques textos de jeunes rencontrés chez les Kahn la veille, et un dernier d'un numéro inconnu. Hanna sentit son estomac se nouer.

Hanna : Tu te souviens de la brosse à dents de Kate? C'est bien ce qu'il me semblait!

— A

Hanna cligna des yeux. Une sueur froide et moite lui

243

recouvrit la nuque. Elle fut prise de vertige. *La brosse à dents de Kate?*

— C'est une blague, se dit-elle, des trémolos dans la voix.

Elle jeta un coup d'œil à sa mère, toujours penchée sur le bureau de Wilden, avec qui elle discutait.

À Annapolis, après s'être en quelque sorte fait traiter de grosse truie par son père, Hanna s'était brusquement levée et avait foncé dans la maison. Elle s'était réfugiée dans la salle de bains, avait fermé la porte et s'était assise sur les toilettes. Là, elle avait pris de grandes inspirations pour tenter de se calmer.

Pourquoi n'était-elle pas aussi belle, aussi gracieuse, aussi parfaite qu'Ali et Kate? Pourquoi fallait-il qu'elle soit grassouillette et maladroite? Elle ne savait même pas à qui elle en voulait le plus : à son père, à Kate, à elle-même ou... à Alison?

Tandis qu'elle fondait en larmes de rage, Hanna remarqua trois photos accrochées face aux toilettes. Trois gros plans d'yeux. Elle avait reconnu tout de suite les rides séduisantes et les prunelles expressives de son père. Puis les petits yeux en amande d'Isabel. Ceux de la dernière photo étaient immenses, avec de longs cils et un regard hypnotique. Ils semblaient tout droit sortis d'une publicité pour du mascara Chanel. À n'en pas douter, c'était ceux de Kate.

Les trois paires d'yeux fixaient Hanna.

L'adolescente se regarda dans le miroir. Un éclat de rire lui parvint du jardin. Elle avait l'impression que le saladier de pop-corn qu'elle venait d'engloutir devant tout le monde était sur le point de lui faire exploser le ventre. Elle se sentait tellement mal qu'elle ne souhaitait qu'une chose : vomir. Mais quand elle s'était penchée au-dessus de la cuvette, rien ne s'était passé.

Des larmes avaient coulé le long de ses joues. En tendant la main vers une boîte de Kleenex, elle avait remarqué une brosse à dents verte dans un petit verre en porcelaine. Ça lui avait donné une idée.

Elle avait mis dix minutes à trouver le courage de se l'enfoncer dans la gorge. Après coup, elle s'était sentie encore plus mal – et, en même temps, infiniment mieux. Ses sanglots avaient redoublé. Tandis qu'elle s'apprêtait à renouveler l'expérience, la porte de la salle de bains s'était ouverte à la volée.

Alison! D'un coup d'œil, elle avait compris ce qui se tramait.

— Wouah..., avait-elle soufflé.

— Va-t'en, s'il te plaît, avait chuchoté Hanna.

Alison s'était avancé vers elle.

— Tu veux en parler?

Hanna lui avait jeté un regard désespéré.

— Ferme au moins la porte!

Ali avait obtempéré et s'était assise sur le bord de la baignoire.

— Depuis combien de temps tu fais ça?

— Depuis combien de temps je fais quoi? avait repris Hanna, les lèvres tremblantes.

Ali avait fixé la brosse à dents d'un air entendu, puis écarquillé les yeux. Hanna avait alors réalisé que le prénom de KATE était inscrit en lettres blanches sur le manche.

La sonnerie perçante d'un téléphone retentit soudain, arrachant Hanna à ses rêveries. *Tu te souviens de la brosse à dents de Kate?* Il était possible qu'on l'ait vue entrer au commissariat, que quelqu'un sache qu'elle souffrait d'un désordre alimentaire et qu'elle complexait par rapport à sa demi-sœur. Mais l'incident de la brosse à dents verte... Une seule personne était au courant.

Hanna se plaisait à croire que si Ali était toujours vivante, elle se réjouirait de voir que la vie de son amie était devenue si parfaite. Elle se repassait cette scène en boucle dans sa tête : Ali impressionnée devant la taille 34 de Hanna, l'ancienne boulotte. Ali s'extasiant devant son gloss Chanel. Ali la félicitant d'avoir organisé une soirée exceptionnelle au bord de sa piscine.

Les mains flageolantes, Hanna tapa un message. *C'est toi, Alison ?*

— Wilden ! cria un flic. On a besoin de toi dans l'arrière-boutique !

Hanna leva les yeux. Darren Wilden s'excusa auprès de Mme Marin et rejoignit son collègue. En quelques secondes, une effervescence incroyable gagna l'ensemble du commissariat. Une voiture de patrouille sortit en trombe du parking, bientôt suivie par trois autres véhicules. Les téléphones se mirent à sonner les uns après les autres. Quatre flics traversèrent la pièce en courant.

— Ça doit être grave, commenta le pseudo-Brad.

Hanna sursauta – elle avait oublié qu'il était là.

— Une rupture de stock de donuts ? suggéra-t-elle avec un rire forcé.

— Bien pire que ça, répliqua Brad en agitant ses mains menottées. Bien pire.

29

ONJOUR, ON TE DÉTESTE!

Le soleil entrait à flots par la fenêtre de la grange. Pour la première fois de sa vie, Spencer fut réveillée par le gazouillement d'oiseaux et non par l'effrayant mix techno des années 90 que son père mettait à fond dans leur salle de gym. Mais était-elle en état de savourer cet événement? Pas vraiment.

Bien qu'elle n'ait pas bu la moindre goutte d'alcool la veille, elle se sentait nauséeuse comme après une soirée trop arrosée. Son réservoir de sommeil était à sec. Après le départ de Wren, elle avait essayé de dormir, mais en avait été bien incapable. Elle n'avait cessé de repenser à la façon dont le jeune homme l'avait tenue contre lui... Elle n'avait encore jamais rien ressenti de pareil.

Puis il y avait eu ce message instantané et l'expression de Melissa – si calme que c'en était effrayant.

Pendant la nuit, la grange n'avait cessé de craquer et de gronder. Tremblante, Spencer avait remonté sa couette jusque sous son menton. Elle s'était reprochée d'être paranoïaque et immature, sans parvenir pour autant à se ressaisir.

Trop d'hypothèses monstrueuses se bousculaient dans sa tête.

Finalement, elle s'était levée pour rallumer son ordinateur et avait passé quelques heures à surfer sur Internet. D'abord sur des sites techniques, en quête d'un moyen de déterminer la provenance d'un message instantané. N'ayant rien trouvé de concluant, elle avait ensuite tenté de localiser la source du premier e-mail – celui qui parlait de convoitise. Elle souhaitait désespérément que la piste la mène à Andrew Campbell.

Elle avait découvert que le jeune homme possédait un blog, mais l'exploration minutieuse de celui-ci ne lui avait rien appris. Toutes les entrées se rapportaient à des livres qu'Andrew avait aimés, à de la philo d'adolescent à deux balles ou encore à une certaine mélancolie due à son béguin à sens unique pour une fille qu'il ne nommait jamais. Spencer pensait qu'il finirait probablement par se trahir, mais ne trouva rien nulle part.

Finalement, elle entra les mots « personnes disparues » et « Alison DiLaurentis » dans Google.

Elle obtint les mêmes résultats que trois ans plus tôt : les bulletins d'info de CNN, les articles du *Philadelphia Inquirer*, des forums de groupes de recherche et quelques sites un peu plus originaux, dont un qui montrait à quoi Ali pourrait ressembler avec un tas de coiffures différentes. Spencer fixa la photo de classe qui avait été utilisée, ça faisait une éternité qu'elle n'avait pas vu de cliché d'Ali. Reconnaîtrait-elle seulement son amie si celle-ci avait les cheveux teints en brun et coupés au carré ? Sur ce portrait trafiqué, elle avait presque l'air d'une inconnue.

La porte de la maison familiale grinça lorsque Spencer entra. À l'intérieur, planait une odeur de café fraîchement moulu. Étrange, d'habitude, à cette heure-ci, Mme Hastings était déjà aux écuries et M. Hastings au country club en train de faire un parcours de golf. Spencer se demanda ce qui avait bien pu se passer entre Melissa et Wren la veille. Et elle pria pour ne pas avoir à les affronter.

— Nous t'attendions.

Spencer sursauta. Ses parents et sa sœur étaient assis à la table de la cuisine. Sa mère était livide et apparemment sonnée. Son père avait les joues rouges comme des betteraves, et les yeux de Melissa étaient gonflés d'avoir trop pleuré. Même les deux chiens s'abstinrent de faire la fête à la jeune fille.

Spencer déglutit avec difficulté. Apparemment, ses prières n'avaient pas été entendues.

— Assieds-toi, s'il te plaît, lui demanda calmement son père.

Elle tira une chaise et s'assit près de sa mère. Le silence était si dense qu'elle entendait le grognement de son ventre, en mode essorage rapide.

— Je ne sais même pas quoi te dire, commença Mme Hastings. Comment as-tu pu faire une chose pareille?

L'estomac de Spencer se noua. Elle ouvrit la bouche, mais sa mère l'interrompit d'un geste de la main.

— Tu n'as pas le droit de parler pour le moment.

Spencer referma la bouche et baissa les yeux.

— Franchement, dit son père. Là tout de suite, j'ai honte que tu sois ma fille. Je pensais t'avoir mieux élevée que ça.

Spencer tripota les petites peaux autour de l'ongle de son pouce et tenta d'empêcher son menton de trembler.

— À quoi pensais-tu? reprit sa mère. C'était le petit ami de ta sœur! Ils avaient l'intention d'emménager ensemble! Te rends-tu compte de ce que tu as fait?

— Je..., commença Spencer.

— Je veux dire..., coupa sa mère en se tordant les mains et en baissant les yeux.

— Tu n'es pas encore majeure, ce qui signifie que nous sommes légalement responsables de toi, déclara son père. Mais si ça ne dépendait que de moi, je te mettrais dehors sur-le-champ.

— J'aimerais ne jamais te revoir, lui jeta Melissa au visage.

Spencer sentit la tête lui tourner. Elle s'attendait à ce que ses parents posent leur tasse de café et lui disent qu'ils plaisantaient, qu'ils lui pardonnaient. Mais ils refusaient même de la regarder en face. Les paroles de son père résonnaient encore à ses oreilles : *J'ai honte que tu sois ma fille.* Personne ne lui avait jamais rien dit d'aussi blessant.

— Une chose est sûre, Melissa retourne s'installer dans la grange, poursuivit sa mère. Je veux que tu remontes toutes tes affaires dans ton ancienne chambre. Et quand la maison de Philadelphie sera prête, je transformerai la grange en atelier de poterie.

Spencer serra les poings sous la table en s'exhortant à ne pas pleurer. La grange ne lui importait pas tant que ça. Ce qui comptait, c'était tout ce qui allait avec. Le fait que son père allait lui fabriquer des étagères, que sa mère l'aiderait à choisir de nouveaux rideaux. Ils lui avaient même permis d'adopter un chaton, et ils avaient passé un quart d'heure à chercher un nom rigolo avec elle. Ils étaient contents pour elle. Ils se souciaient d'elle.

Spencer voulut poser une main sur le bras de sa mère.

— Je suis désolée.

Mme Hastings se déroba.

— Ne me touche pas.

Spencer ne parvint pas à réprimer un sanglot. Des larmes se mirent à couler sur ses joues.

— De toute façon, ce n'est pas à moi que tu dois présenter des excuses, ajouta sa mère à voix basse.

Spencer leva les yeux vers Melissa qui reniflait de l'autre côté de la table. Sa sœur s'essuya le nez. Bien qu'elle déteste Melissa, Spencer ne l'avait encore jamais vue dans cet état – du moins, pas depuis que Ian Thomas l'avait larguée. C'était mal de flirter avec Wren, mais Spencer n'avait pas pensé que ça irait aussi loin. Elle tenta de se mettre à la place de sa sœur, d'imaginer qu'elle avait rencontré Wren la première et que Melissa l'avait embrassé dans son dos. Elle aussi aurait été effondrée.

— Je suis désolée, chuchota-t-elle.

Melissa frissonna.

— Va brûler en enfer! lui lança-t-elle.

Spencer se mordit l'intérieur des joues si fort qu'elle sentit le goût du sang sur sa langue.

— Contente-toi de sortir tes affaires de la grange, ordonna sa mère. Après ça, je ne veux plus te voir.

Spencer écarquilla les yeux.

— Mais…, protesta-t-elle.

Son père la foudroya du regard.

— Ce que tu as fait est si méprisable, murmura sa mère.

— Tu es vraiment une salope, renchérit Melissa.

Spencer acquiesça. Si elle abondait dans leur sens, peut-être arrêteraient-ils de lui parler aussi durement. Elle voulait se rouler en boule et disparaître. Au lieu de quoi, elle marmonna :

— J'y vais tout de suite.

— Bien.

Son père but une dernière gorgée de café et quitta la table.

Melissa émit un hoquet étranglé et repoussa sa chaise. Elle remonta l'escalier en sanglotant et claqua la porte de sa chambre derrière elle.

— Wren est parti cette nuit, dit M. Hastings en s'arrêtant sur le seuil de la cuisine. Nous n'entendrons plus jamais

251

parler de lui. Et si tu as une vague idée de ce qui est bon pour toi, tu n'en reparleras plus jamais.

— D'accord, souffla Spencer.

Elle posa son front sur la table en chêne. Le bois était agréablement frais.

— Bien, répéta son père.

Il sortit, Mme Hastings sur ses talons.

Spencer resta la tête basse, respirant comme elle l'avait appris au yoga en attendant que quelqu'un vienne lui dire que les choses allaient s'arranger. Mais rien ne se produisit.

Dehors, la sirène d'une ambulance hurla dans le lointain. On aurait dit qu'elle se dirigeait vers la ferme.

Spencer se redressa brusquement. *Oh, mon Dieu!* Et si Melissa avait tenté de…? Non, elle n'aurait jamais fait une chose pareille – pas vrai?

Pourtant, la sirène se rapprochait. Spencer repoussa brutalement sa chaise. Qu'avait-elle fait?

— Melissa! hurla-t-elle en se ruant vers l'escalier.

— Tu n'es qu'une sale petite pute! glapit sa sœur depuis l'étage.

Spencer s'affaissa contre la rambarde. Finalement, sa sœur allait bien.

30

LE CIRQUE EST DE RETOUR EN VILLE

Emily pédalait à toute vitesse pour s'éloigner de la maison d'Aria. Dans sa hâte, elle faillit renverser un homme qui faisait son jogging sur le bord de la route.

— Faites attention! lui lança-t-il.

En dépassant une femme qui promenait deux danois, Emily prit une décision. Elle devait se rendre chez Maya. C'était la seule solution. Après ce qu'elle lui avait raconté la veille, son amie avait peut-être voulu se montrer gentille en lui rendant la lettre. Maya avait voulu lui parler de la lettre hier et puis, pour une raison ou pour une autre, elle avait renoncé. Emily avait peut-être mal vu, ce qu'elle avait pris pour un A pouvait très bien être un M...

Et puis, il y avait des tas d'autres choses dont elle devait discuter avec Maya. Comme ce qui s'était passé dans la cabine de Photomaton par exemple. Emily ferma les yeux pour mieux se remémorer la scène. Elle pouvait presque sentir l'odeur du chewing-gum à la banane de Maya et la douceur de sa langue. Ouvrant les yeux, elle évita le trottoir de justesse.

D'accord, il fallait vraiment qu'elles en parlent. Mais qu'est-ce qu'elle voulait lui dire, au juste?

J'ai adoré t'embrasser.

Non. Non, elle ne pouvait pas dire ça. Elle devait se contenter d'un : *Soyons juste amies.* Finalement, elle avait décidé de se remettre avec Ben. S'il voulait encore d'elle. Elle désirait remonter le temps, redevenir l'Emily satisfaite de sa vie et en bons termes avec ses parents. L'Emily qui n'avait d'autre souci que d'améliorer sa nage papillon et de finir ses devoirs d'algèbre.

Elle dépassa le parc Myer où Ali et elle avaient l'habitude de faire de la balançoire pendant des heures. Elles essayaient de synchroniser leur mouvement, et quand elles y arrivaient, Ali lançait : « On est mariées! » Puis elles poussaient un petit cri et sautaient en même temps.

Et si ce n'était pas Maya qui avait glissé la lettre entre les rayons de son vélo? Quand Emily avait demandé à Aria si Ali avait raconté son secret au reste de la bande, Aria avait murmuré : « Quand? Récemment? » Pourquoi Aria avait-elle dit une chose pareille? À moins que... À moins qu'elle sache quelque chose. À moins qu'Ali soit de retour.

Était-ce possible?

Emily pédalait si vite qu'elle dérapait à moitié dans les graviers. Non, c'était absurde. Sa mère et Mme DiLaurentis continuaient à s'envoyer une carte de Noël chaque année; si Ali avait refait surface, Emily l'aurait su. À l'époque de sa disparition, les journaux parlaient d'Ali vingt-quatre heures sur vingt-quatre et sept jours sur sept. Ces derniers temps, les Fields regardaient CNN en prenant leur petit déjeuner. La réapparition de l'adolescente aurait sûrement fait les gros titres de l'actualité.

C'était néanmoins une idée excitante. Pendant près d'un

an après la disparition de son amie, Emily avait demandé, chaque soir, à sa boule magique si Ali reviendrait. La boule lui avait parfois répondu : « Seul le temps le dira », mais elle ne lui avait jamais, au grand jamais, dit : « Non. » Emily multipliait également les paris avec elle-même. *Si deux personnes portant un T-shirt rouge montent dans le bus avant mon arrêt, Ali va bien. S'il y a de la pizza à la cantine ce midi, Ali n'est pas morte. Si l'entraîneur nous fait travailler les départs et les virages, Ali reviendra.* Neuf fois sur dix, ses petits rituels affirmaient qu'Ali rentrerait tôt ou tard.

Peut-être avait-elle raison depuis le début.

Emily franchit un virage en épingle à cheveux et évita de justesse une plaque commémorative de la guerre d'Indépendance. Si Ali était de retour, est-ce que cela aurait une quelconque incidence sur son amitié naissante avec Maya ? Emily ne pensait pas qu'il soit possible d'avoir deux meilleures amies… Surtout si elles lui inspiraient des sentiments similaires. Elle se demandait ce qu'Ali penserait de Maya. Et comment cela se passerait si elles se détestaient ?

J'ai adoré t'embrasser.

Soyons juste amies.

Emily passa devant des fermes magnifiques, des auberges en pierre décrépites et des camionnettes de jardinier garées le long du trottoir. Dans le temps, elle faisait le même chemin à vélo pour aller chez Ali. La dernière fois, cela remontait au fameux jour du baiser.

Elle n'avait pas prévu d'embrasser Ali avant de s'y rendre, elle avait simplement cédé à une soudaine impulsion. Jamais elle n'oublierait la douceur des lèvres d'Ali ni son expression d'effroi lorsqu'elle s'était écartée d'elle.

— Pourquoi as-tu fait ça ? avait-elle demandé.

Soudain, une sirène hurla derrière Emily. Celle-ci eut à peine le temps de se serrer contre le trottoir avant qu'une ambulance la dépasse en trombe, soulevant un nuage de poussière dans son sillage. Elle s'essuya les yeux et suivit le véhicule du regard tandis qu'il atteignait le sommet de la colline et s'engageait dans l'ancienne rue d'Alison.

Le cœur d'Emily se serra. L'ancienne rue d'Alison était aussi... celle où habitait Maya.

Ses mains se crispèrent sur le guidon de son vélo. Avec tout ce qui s'était passé depuis la veille, elle avait complètement oublié le secret que son amie lui avait confié dans la cabine de Photomaton. Les entailles. L'hôpital. Cette grosse cicatrice en zigzag. *Parfois... j'en ai besoin, c'est tout,* avait dit Maya.

— Oh, mon Dieu! souffla Emily.

Pédalant frénétiquement, elle franchit l'angle de la rue. *Si la sirène s'arrête avant que j'atteigne la maison, Maya va s'en tirer.*

Mais l'ambulance était bel et bien garée devant chez les Saint-Germain. Il y avait des voitures de police partout.

— Non! chuchota Emily.

Des ambulanciers en blouse blanche sortirent du véhicule et se précipitèrent vers la maison. Des tas de gens se massaient dans le jardin de Maya, certains brandissaient une caméra ou un appareil photo. Emily laissa tomber son vélo sur le trottoir et s'élança.

— Emily!

Maya fendit la foule pour venir à sa rencontre. Emily hoqueta de surprise puis se jeta dans ses bras, le visage ruisselant de larmes.

— Tu vas bien, sanglota-t-elle. J'ai eu si peur...

— Oui, ça va, la rassura Maya.

Mais le ton de sa voix était étrange. Emily s'écarta d'elle pour mieux la regarder. Les yeux de Maya étaient rouges et humides, un tic nerveux agitait les coins de sa bouche.

— Qu'y a-t-il? s'enquit Emily.

Maya déglutit.

— Ils ont retrouvé ton amie.

— Quoi?

Emily fixa Maya, puis la scène qui se déroulait dans le jardin. Tout lui était étrangement familier : l'ambulance, les voitures de patrouille, la foule, les cameramen et les photographes... Et même l'hélicoptère d'une chaîne de télé qui tournoyait au-dessus de la maison. C'était exactement le même scénario qu'il y avait trois ans quand Ali avait disparu.

Emily se dégagea de l'étreinte de Maya avec un sourire incrédule. Elle avait réellement vu juste! Alison était rentrée chez elle comme s'il ne s'était jamais rien passé.

— Je le savais, chuchota-t-elle.

Maya lui prit la main.

— Les ouvriers creusaient le jardin de derrière pour construire notre terrain de tennis quand ils l'ont trouvée. Ma mère était là. Elle a tout vu. Je l'ai entendue hurler depuis ma chambre.

Emily laissa retomber sa main.

— Hein? Pourquoi?

— J'ai essayé de t'appeler, ajouta Maya.

Les sourcils froncés, Emily dévisagea son amie. Puis elle regarda la vingtaine de policiers présents sur les lieux. Mme Saint-Germain qui sanglotait près du pneu-balançoire. Le scotch jaune et noir qui empêchait d'accéder au jardin. Et enfin, la camionnette garée dans l'allée du garage – celle sur laquelle on pouvait lire : MORGUE DE ROSEWOOD.

Emily dut parcourir l'inscription six fois avant de réaliser. Son cœur s'accéléra. Soudain, elle ne parvint plus à respirer.

— Je ne... comprends pas, balbutia-t-elle en reculant. Qui ont-ils trouvé?

Maya la fixa avec compassion, les yeux brillants de larmes.

— Ton amie Alison. Ils viennent juste de remonter son corps.

$\mathcal{L}$'ENFER, C'EST VRAIMENT LES AUTRES

Byron Montgomery but une gorgée de café et alluma sa pipe d'une main tremblante.

— Ils l'ont trouvée en sortant la dalle de béton de l'ancien jardin des DiLaurentis pour mettre un court de tennis à la place.

Ella prit le relais.

— Elle était dessous. Ils ont pu l'identifier grâce à sa bague. Mais ils vont faire des tests d'ADN pour être sûrs.

Aria eut l'impression de recevoir un coup de poing dans l'estomac. Elle se souvenait très bien de la bague en or blanc aux initiales d'Ali. Ses parents la lui avaient achetée chez Tiffany juste après son opération des amygdales, quand elle avait dix ans. Ali aimait la porter au petit doigt.

— Pourquoi faut-il qu'ils fassent des tests ADN ? interrogea Mike. Elle est complètement décomposée ?

Byron se rembrunit.

— Michelangelo ! Ce n'est pas très malin de dire ça devant ta sœur !

Mike haussa les épaules et se fourra un morceau de Bubble Tape à la pomme verte dans la bouche.

Aria était assise en face de lui. Les joues baignées de larmes silencieuses, elle effilochait distraitement le bord d'un set de table en raphia. Il était deux heures de l'après-midi, et toute la famille Montgomery se trouvait rassemblée dans la cuisine.

— Ça va, je tiendrai le coup, dit Aria, la gorge nouée. Alors, elle est décomposée?

Ses parents échangèrent un regard.

— Euh… oui, concéda enfin Byron en se grattant la poitrine par un trou de son marcel. Au bout de trois ans, c'est normal, tu sais.

— Dégueu, chuchota Mike.

Aria ferma les yeux. Alison était morte. Son corps avait pourri. Quelqu'un l'avait probablement tuée.

— Ma chérie? appela sa mère d'une voix douce en lui posant une main sur le poignet. Ma chérie, tu vas bien?

— Je ne sais pas trop, murmura Aria, essayant de ne pas se remettre à pleurer.

— Tu veux un Xanax? lui proposa Byron.

Elle secoua la tête en signe de refus.

— Moi, j'en veux bien un! s'exclama Mike.

Aria se mordillait nerveusement le pouce. Elle avait chaud et froid à la fois. Elle ne savait pas quoi faire, ni même quoi penser. La seule personne qui aurait pu la réconforter, c'était Ezra. Lui, il aurait compris ce qu'elle ressentait. En tout cas, il l'aurait laissée se rouler en boule sur son couvre-lit en denim et pleurer tout son soûl.

Repoussant sa chaise, Aria se leva et se dirigea vers l'escalier. Byron et Ella échangèrent un regard rapide et lui emboîtèrent le pas.

— Ma chérie, qu'est-ce qu'on peut faire pour toi? s'enquit Ella.

Mais la jeune fille les ignora et monta dans sa chambre.

La pièce ressemblait à un champ de bataille. Aria n'avait pas fait le ménage depuis son retour d'Islande, et n'était pas la personne la plus ordonnée du monde à la base. Ses vêtements gisaient en tas sur le sol. Une poignée de CD, des paillettes qu'elle était en train de broder sur un bonnet, plusieurs bombes de peinture, des cartes à jouer, Pétunia, des esquisses du profil d'Ezra et deux ou trois pelotes de laine à tricoter s'étalaient sur son lit. Il y avait une grosse tache de cire rouge sur la moquette.

Aria regarda sous sa couette et fouilla les affaires qui encombraient son bureau à la recherche de son Treo, sans succès, mais elle en avait besoin pour appeler Ezra. Par acquit de conscience, elle jeta un coup d'œil dans le sac vert qu'elle avait emmené à la soirée chez les Kahn, mais il n'y était pas non plus.

Puis elle se souvint. Après avoir reçu le dernier texto de « A », elle avait lâché son téléphone comme s'il venait de la mordre. Elle avait dû l'oublier chez Ezra.

Aria redescendit l'escalier en trombe. Ses parents étaient encore sur le palier.

— Je prends la voiture, marmonna-t-elle en saisissant les clés accrochées au-dessus de la console de l'entrée.

— D'accord, dit son père.

— Garde-la aussi longtemps que tu veux, ajouta sa mère.

Quelqu'un avait calé la porte d'entrée de la maison d'Ezra à l'aide d'une grosse sculpture métallique représentant un fox-terrier. Aria la contourna et pénétra dans le hall. Puis elle frappa à la porte de l'appartement. Elle ressentait la même sensation que lorsqu'elle avait une envie pressante de faire pipi – c'était un vrai supplice, mais elle savait que ce serait bientôt fini.

Ezra ouvrit la porte en grand. Dès qu'il vit Aria, il tenta de la refermer.

— Attends! protesta la jeune fille, la voix encore pleine de larmes.

Ezra battit en retraite dans sa cuisine en lui tournant le dos. Il n'était pas rasé et semblait épuisé.

— Que fais-tu ici?

Aria se mordit la lèvre inférieure.

— Je suis venue te voir. J'ai appris une mauvaise nouvelle... (Son Treo était posé sur le comptoir. Elle s'en saisit.) Tu l'as trouvé. Merci.

Ezra foudroya le téléphone du regard.

— Maintenant que tu l'as récupéré, tu veux bien t'en aller?

— Que se passe-t-il? demanda Aria en se dirigeant vers lui. Il faut que je te parle.

— Moi aussi, j'ai reçu une mauvaise nouvelle, coupa Ezra en s'écartant d'elle. Sérieusement, Aria. Je ne supporte même pas de te regarder.

Les yeux de la jeune fille se remplirent de larmes.

— Pourquoi?

Elle le fixa sans comprendre.

Ezra baissa le nez.

— J'ai vu ce que tes textos disent de moi.

Aria fronça les sourcils.

— Mes textos?

Ezra releva la tête. Ses yeux flamboyaient de colère.

— Tu me prends pour un con? C'était juste un jeu pour toi – un pari que tu as fait avec tes petites copines?

— De quoi parles-tu? bredouilla Aria.

Ezra poussa un soupir excédé.

— Tu sais quoi? Tu as gagné, d'accord? Je me suis bien fait avoir. Tu es contente? Maintenant, fiche le camp!

— Je ne vois pas de quoi tu parles, protesta Aria.

Ezra donna un coup dans le mur du plat de la main, avec une telle force que la jeune fille sursauta.

— Ne joue pas les idiotes, Aria! Je ne suis pas un de ces ados boutonneux prêts à gober n'importe quoi!

Tout le corps de la jeune fille se mit à trembler.

— Je te jure devant Dieu que j'ignore de quoi tu parles. Peux-tu m'expliquer, s'il te plaît? Je suis en train de péter les plombs, là!

Ezra retira sa main du mur et se mit à faire les cent pas.

— Très bien. Après ton départ, j'ai essayé de dormir. Une sonnerie m'en a empêché. Tu sais ce que c'était? (Il désigna le Treo.) Ton portable. Le seul moyen que j'aie trouvé pour le faire taire, ça a été d'ouvrir tes textos.

Aria s'essuya les yeux.

Ezra croisa les bras sur sa poitrine.

— Tu veux que je te dise ce qu'ils contenaient?

Alors, la jeune fille réalisa ce qu'il avait découvert.

— Attends! s'écria-t-elle. Non! Ce n'est pas du tout ce que tu crois!

Ezra tremblait.

— « Réunion professeur-élève »? « Ça, c'est ce qui s'appelle faire de la lèche? » Ça te dit quelque chose?

— N-non, bredouilla Aria. Tu te trompes.

Le monde tournait autour d'elle. Elle s'agrippa au bord de la table de cuisine.

— J'attends ton explication, lâcha Ezra, glacial.

— Une de mes amies a été tuée, commença Aria. On vient juste de retrouver son corps.

Elle ouvrit la bouche pour ajouter quelque chose, mais les mots lui manquèrent. Ezra se tenait à l'autre bout de la pièce, le plus loin possible d'elle, derrière la baignoire à pieds.

— Je te jure que c'est un malentendu, insista Aria. Viens ici, s'il te plaît. Prends-moi au moins dans tes bras.

Les bras toujours croisés sur sa poitrine, Ezra baissa les yeux. Pendant un long moment, il demeura silencieux et immobile.

— Tu me plaisais vraiment, lui avoua-t-il enfin d'une voix enrouée.

Aria ravala un sanglot.

— Moi aussi, tu me plais vraiment.

Elle se dirigea vers lui, mais, de nouveau, le jeune homme s'écarta.

— Non. Je veux que tu t'en ailles.

— Mais...

Il lui posa la main sur la bouche.

— S'il te plaît, dit-il sur un ton presque implorant. Va-t'en, s'il te plaît.

Aria écarquilla les yeux. Un début de migraine lui martelait les tempes. Une alarme se déclencha dans sa tête. Cette situation n'était pas normale. Sans réfléchir, elle mordit la main d'Ezra.

Le jeune homme fit un bond en arrière et glapit :

— Ça ne va pas la tête ?

Aria resta plantée là, sous le choc. Du sang coula de la main d'Ezra et tomba par terre.

— Tu es complètement cinglée ! cria le jeune homme.

Aria haletait. Elle n'aurait rien pu dire même si elle l'avait voulu. Aussi se retourna-t-elle, prête à partir. À l'instant où elle saisissait la poignée de la porte, quelque chose fila près de sa tête, rebondit sur le mur et atterrit à côté de son pied. C'était un exemplaire de *L'Être et le Néant* de Jean-Paul Sartre. Choquée, elle fit volte-face.

— Casse-toi ! tonna le jeune homme.

Aria claqua la porte derrière elle et traversa la pelouse en courant aussi vite que ses jambes pouvaient la porter.

32

$\mathcal{L}$A STAR DÉCHUE

Le lendemain, Spencer fumait une Marlboro à la fenêtre de sa chambre qu'elle venait de réintégrer, en regardant la fenêtre de l'ancienne chambre d'Ali, de l'autre côté de la pelouse. La pièce était sombre et vide. La jeune fille baissa les yeux vers le jardin des DiLaurentis, où des lumières clignotaient sans cesse depuis qu'on avait retrouvé son amie.

Bien que le corps ait déjà été remonté et emporté, les flics avaient délimité le pourtour de la vieille dalle de béton avec du scotch jaune et noir sur lequel était inscrit : « ACCÈS INTERDIT AU PUBLIC ». À cause des énormes tentes qu'ils avaient dressées tout autour, Spencer n'avait rien pu voir de l'opération. Non qu'elle l'ait souhaité. C'était affreux de penser que pendant trois ans, le cadavre d'Ali avait pourri en terre juste à côté de chez elle.

Spencer se souvenait des travaux que les DiLaurentis avaient fait effectuer vers la fin de leur année de 5e. Les ouvriers avaient creusé le trou avant la disparition d'Ali. Et elle savait qu'ils l'avaient rebouché peu de temps après, même si elle ne se rappelait plus exactement quand. Quelqu'un avait tué Alison avant de jeter son corps là-dedans comme un vulgaire déchet.

Se penchant par la fenêtre, Spencer écrasa sa Marlboro sur l'encadrement de brique et retourna à son magazine. Elle n'avait pas échangé deux mots avec ses parents et sa sœur depuis la confrontation de la veille; pour se calmer, elle feuilletait méthodiquement le dernier numéro de *Lucky* en collant un petit Post-It marqué « oui! » devant chaque article qu'elle voulait acheter. Mais pendant qu'elle examinait la page consacrée aux blazers en tweed, son regard se fit lointain.

Elle ne pouvait même pas discuter de la découverte du corps d'Ali avec ses parents. La veille, peu après le petit déjeuner, elle s'était aventurée dehors pour voir ce qui justifiait la présence des sirènes. Les ambulances la rendaient nerveuse depuis l'affaire Jenna et la disparition d'Ali. Tandis qu'elle traversait la pelouse et se dirigeait vers le jardin des DiLaurentis, elle avait eu une drôle d'impression et s'était aussitôt retournée. Ses parents étaient, eux aussi, sortis voir ce qui se passait. En l'apercevant, ils s'étaient très vite détournés.

Les flics avaient ordonné à Spencer de rester à l'écart, ils lui avaient dit que l'accès de la zone était interdit au public. Puis la jeune fille avait aperçu la camionnette de la morgue, et elle avait entendu le talkie-walkie d'un des policiers crachoter : « Alison ».

Tout son corps s'était raidi. La tête lui avait tourné, et elle s'était effondrée dans l'herbe. Quelqu'un lui avait parlé, mais elle n'avait rien compris.

— Tu es en état de choc, avait-elle enfin entendu. Tâche de te calmer.

Son champ de vision était si ténu qu'elle ne distinguait pas le visage de son interlocuteur – elle savait juste qu'il ne s'agissait ni de son père ni de sa mère. Le type était parti chercher une couverture, l'avait enveloppée autour de ses épaules et lui avait dit de rester assise bien au chaud jusqu'à ce qu'elle se sente mieux.

Le temps que Spencer parvienne à se relever, son ange gardien avait disparu. Tout comme ses parents, qui ne s'étaient même pas donné la peine de vérifier qu'elle allait bien.

La jeune fille avait passé le reste du samedi et une bonne partie du dimanche dans sa chambre, n'allant aux toilettes que lorsque le couloir de l'étage était désert. Elle espérait que quelqu'un monterait la voir, mais quand elle avait entendu de petits coups hésitants frappés à sa porte en début d'après-midi, elle n'avait pas répondu. Elle ne savait pas vraiment pourquoi. Son visiteur avait poussé un soupir et battu en retraite.

Une demi-heure plus tôt, Spencer avait vu la Jaguar de son père reculer dans l'allée du garage et tourner pour prendre l'avenue. Sa mère était à ses côtés, et Melissa assise à l'arrière. Elle ne savait absolument pas où ils allaient.

Se laissant tomber sur sa chaise de bureau, Spencer alluma son ordinateur et rouvrit le premier e-mail de « A », celui qui parlait de convoitise. Après l'avoir relu plusieurs fois, elle cliqua sur « RÉPONDRE ». Lentement, elle tapa : *Alison, c'est toi ?*

Elle hésita avant d'appuyer sur la touche « ENVOI ». Les lumières clignotantes la faisaient-elles délirer comme après avoir pris de l'acide ? Les morts n'avaient pas de compte hotmail. Ni de pseudo MSN. Spencer devait se ressaisir. Quelqu'un se faisait passer pour son amie défunte. Mais qui ?

Elle leva les yeux vers le mobile Mondrian qu'elle avait acheté l'année précédente au musée d'art de Philadelphie. Puis elle entendit un léger bruit. *Plink*, qui se répéta.

Ça venait de sa fenêtre. Spencer se redressa à l'instant où un nouveau caillou frappait la vitre. Quelqu'un tentait d'attirer son attention.

« *A* » ?

Comme le bruit se répétait, elle se dirigea vers la fenêtre – et poussa un hoquet de surprise. Wren se tenait sur la pelouse. Les lumières rouges et bleues des voitures de police projetaient des ombres éphémères sur ses joues. En voyant Spencer, il lui adressa un large sourire.

Immédiatement, la jeune fille se rua au rez-de-chaussée sans se soucier de ses cheveux en bataille ou des taches de sauce marinara sur son bas de pyjama Kate Spade. Au moment où elle ouvrait la porte, Wren se précipita vers elle. Il l'étreignit et embrassa le sommet de son crâne.

— Tu n'es pas censé être ici, murmura Spencer.

— Je sais. (Le jeune homme recula.) Mais j'ai vu que la voiture de tes parents n'était plus là, alors...

Spencer passa une main dans ses cheveux si doux. Wren avait l'air épuisé. Et s'il avait dû dormir dans sa petite Toyota la veille ?

— Comment as-tu deviné que je serais dans mon ancienne chambre ?

Le jeune homme haussa les épaules.

— Une intuition. Et il m'a semblé t'apercevoir à la fenêtre. Je voulais venir plus tôt, mais avec tout ça... (Il désigna les voitures de police et les camionnettes de journalistes garées devant la maison voisine.) Tu vas bien ?

— Oui, répondit Spencer. (Elle bascula la tête en arrière pour mieux voir Wren et se mordit la lèvre inférieure pour s'empêcher de pleurer.) Et toi ?

— Moi ? Aucun problème.

— Tu sais où habiter ?

— Je peux squatter le canapé d'un pote jusqu'à ce que je trouve un appart à louer. Ne t'en fais pas pour moi.

Si seulement Spencer avait pu squatter le canapé d'une amie, elle aussi... Soudain, une idée lui traversa l'esprit.

— C'est fini entre Melissa et toi ?

Wren lui prit le visage à deux mains et soupira.

— Évidemment, rétorqua-t-il d'une voix douce. C'était couru d'avance. Elle et moi, ce n'était pas...

Il n'acheva pas sa phrase, mais Spencer comprit ce qu'il voulait dire. *Ce n'était pas du tout comme toi et moi.* Avec un sourire tremblant, elle posa sa tête sur la poitrine de Wren. Le cœur du jeune homme battait contre son oreille.

Elle jeta un coup d'œil vers la maison des DiLaurentis. Sur le trottoir, quelqu'un avait déjà improvisé un autel à la mémoire d'Alison avec des photos et des bougies. Au centre, des lettres magnétiques traçaient le prénom de la défunte. Spencer elle aussi avait apporté une photo d'Ali en T-shirt moulant Von Dutch et jean Seven flambant neuf.

Elle se souvenait du moment où elle l'avait prise : c'était pendant leur année de 6ᵉ, le soir du bal d'hiver organisé par l'Externat de Rosewood. Les cinq filles avaient vu Ian arriver à bord d'une limousine Hummer de location. Elles avaient attrapé un fou rire quand Melissa, tentant de faire une entrée théâtrale, s'était étalée de tout son long dans l'allée des Hastings en rejoignant son petit ami. Il s'agissait probablement de leur dernier souvenir insouciant. L'affaire Jenna s'était produite peu de temps après.

Tandis qu'elle s'essuyait les yeux avec le dos de sa main fine et pâle, une camionnette de la télévision passa lentement devant elle, et un type portant une casquette de baseball rouge la fixa avec insistance. Elle tourna la tête. Elle ne voulait pas être filmée dans cet état – et encore moins en compagnie de l'ex-petit ami de sa sœur.

— Tu devrais y aller, dit-elle en reniflant et en reportant son attention sur Wren. Ici, c'est la folie. Et je ne sais pas quand mes parents vont revenir.

— D'accord. (Wren lui souleva le menton d'un doigt.) Mais est-ce qu'on pourra se revoir?

Spencer déglutit et tenta de sourire. Alors, Wren se pencha vers elle et l'embrassa, posant une main sur sa nuque et l'autre à l'endroit précis où il lui avait appliqué de la crème le vendredi soir.

Spencer se dégagea.

— Je n'ai même pas ton numéro.

— Ne t'inquiète pas, chuchota Wren. Je t'appellerai.

Plantée au bord de la pelouse, Spencer regarda le jeune homme regagner sa voiture. Tandis que la petite Toyota s'éloignait, ses yeux se remplirent à nouveau de larmes. Si seulement elle avait quelqu'un à qui parler – quelqu'un qui ne soit pas banni de chez elle. Jetant un coup d'œil à l'autel dédié à Alison, elle se demanda comment ses anciennes amies prenaient la nouvelle.

À l'instant où Wren tournait à l'angle de l'avenue, Spencer remarqua les phares d'une autre voiture qui arrivait en sens inverse. Elle se figea. S'agissait-il de ses parents? Avaient-ils vu Wren?

Les phares se rapprochèrent. Soudain, Spencer comprit qui c'était. Malgré la teinte pourpre du ciel, elle parvenait à distinguer les longs cheveux blonds d'Andrew Campbell.

Hoquetant, elle se planqua derrière les rosiers de sa mère. La Mini noire s'arrêta au niveau de sa boîte aux lettres. Andrew baissa sa vitre, ouvrit la boîte, y déposa quelque chose et la referma prudemment. Puis il s'éloigna.

Spencer attendit qu'il ait disparu pour s'élancer vers le trottoir et ouvrir fébrilement la boîte aux lettres. Andrew lui avait laissé une feuille de papier pliée en quatre.

Salut, Spencer. Je ne savais pas si tu répondrais au téléphone. Je suis vraiment désolé pour Alison. J'espère que ma couverture t'a servi hier. – Andrew

Spencer rebroussa lentement chemin, les yeux rivés sur le message rédigé d'une écriture masculine, pointue et légèrement penchée. *Sa couverture? Quelle couverture?* se demandat-elle, perplexe.

Puis elle réalisa. Son ange gardien, c'était Andrew!

Froissant la feuille de papier, elle se remit à sangloter.

33

LA FINE FLEUR DE ROSEWOOD

La police a rouvert l'affaire DiLaurentis, les enquêteurs inter-rogent actuellement les témoins, commentait un présentateur au journal de vingt-trois heures. *Les DiLaurentis, qui vivent désormais dans le Maryland, vont devoir se confronter à l'hor-reur qu'ils avaient tenté de laisser derrière eux. Du moins sont-ils désormais fixés sur le sort de leur fille disparue.*

Les journalistes ne peuvent vraiment pas s'empêcher de dramatiser, songeait Hanna en enfournant avec colère une nouvelle poignée de Cheez-It dans sa bouche. On peut tou-jours compter sur eux pour empirer une histoire déjà bien assez tragique à la base.

La caméra était braquée sur l'autel dédié à Ali : les bou-gies, les peluches Beanie Babies, les fleurs fanées que les gens avaient dû cueillir dans les jardins voisins, quelques marshmallows Peeps – la friandise préférée d'Ali – et bien entendu, des photos.

Puis Mme DiLaurentis apparut à l'écran. Hanna ne l'avait pas revue depuis longtemps. Mis à part son visage en larmes, la mère d'Ali était plutôt jolie avec sa coupe dégradée et ses boucles d'oreilles pendantes.

Nous avons organisé une messe commémorative à Rosewood, le seul foyer qu'Alison ait jamais connu, expliqua-t-elle d'une voix soigneusement contenue. *Nous tenons à remercier tous les gens qui nous ont aidés à chercher notre fille il y a trois ans. Leur soutien nous a été précieux.*

La caméra refit le point sur le présentateur.

Cette messe aura lieu demain à l'abbaye de Rosewood et sera ouverte au public.

Hanna éteignit la télé.

C'était dimanche soir. La jeune fille était assise sur le canapé du salon, vêtue de son T-shirt C&C le plus pourri et d'un boxer Calvin Klein qu'elle avait piqué dans le tiroir à sous-vêtements de Sean. Ses longs cheveux brun-roux étaient emmêlés et secs comme du foin, et elle était à peu près certaine d'avoir un bouton sur le front. Sur ses genoux trônait un énorme saladier de biscuits soufflés au fromage, tandis qu'une bouteille de pinot noir était calée entre les coussins. Toute la soirée, elle avait tenté de se retenir de manger, mais de toute évidence, elle n'avait pas beaucoup de détermination.

Elle ralluma la télé en regrettant de n'avoir personne à qui parler… de la police, de « A » et surtout d'Alison. Pour des raisons évidentes, elle ne pouvait pas se tourner vers Sean. Sa mère – en rendez-vous ce soir-là – n'avait pas précisément le genre de caractère à susciter les confidences. Après l'effervescence au commissariat la veille, Wilden avait dit à Mme Marin et à sa fille de partir. On s'occuperait d'elles plus tard, avait-il ajouté. Pour le moment, la police avait plus important à faire qu'éclaircir une simple affaire de vol de voiture, fût-elle doublée d'un accident. Il ne leur avait pas dévoilé ce qui se passait, Hanna et sa mère avaient juste capté des bribes de phrases grâce auxquelles elles avaient compris qu'il s'agissait d'un meurtre.

Pendant le trajet du retour, au lieu de réprimander sa fille pour avoir volé une voiture et conduit en état d'ébriété, Mme Marin lui avait répété qu'elle s'occupait de tout. Hanna ne savait absolument pas ce que cela signifiait. L'année précédente, un policier était venu à l'Externat pour parler de la politique « tolérance zéro » de l'État de Pennsylvanie envers les moins de vingt et un ans surpris à conduire avec un taux d'alcoolémie trop élevé. Sur le coup, Hanna ne l'avait écouté que parce qu'elle le trouvait mignon dans son genre. À présent, ses paroles la hantaient.

Elle ne pouvait pas non plus compter sur Mona, toujours à son tournoi de golf en Floride. Les deux filles s'étaient brièvement parlé au téléphone, et Mona avait admis que la police l'avait appelée au sujet de la voiture de Sean. Mais elle avait joué les andouilles, affirmant qu'elle n'avait pas quitté la propriété des Kahn de toute la soirée – et Hanna non plus. Cette salope avait de la chance : la caméra de surveillance du Wawa avait filmé l'arrière de sa tête, mais pas son visage grâce à la casquette crasseuse de livreur qu'elle portait.

La conversation remontait à la veille, après sa sortie du commissariat, elles ne s'étaient pas parlé aujourd'hui et n'avaient donc pas pu s'entretenir au sujet d'Alison.

Et puis... le mystère « A » demeurait entier. Si A était bel et bien Alison, est-ce que cela signifiait qu'elle ne recevrait plus de messages à présent ? Pourtant, la police semblait dire qu'Alison était morte depuis des années...

Tandis que la jeune fille parcourait, de ses yeux rouges et gonflés, le programme télé en quête d'une émission potable, elle envisagea d'appeler son père. Les chaînes locales d'Annapolis avaient dû parler de la découverte du corps d'Ali. Mais peut-être son père l'appellerait-il le premier. Elle décrocha le téléphone pour s'assurer qu'il fonctionnait toujours. Oui.

Elle soupira. Mona et elle étaient toujours fourrées ensemble, et du coup, elles n'avaient pas d'autres amies. Regarder les reportages consacrés à Ali rendait Hanna nostalgique de leur ancienne petite bande. Certes, elles avaient traversé des épreuves terribles, mais elles s'étaient aussi beaucoup amusées. Dans un univers parallèle, les quatre survivantes devaient être ensemble en ce moment même, en train de se remémorer leurs souvenirs avec Ali, riant et pleurant à la fois. Mais dans cette dimension-ci, elles s'étaient trop éloignées les unes des autres.

Bien entendu, elles avaient de bonnes raisons pour ça. Les choses avaient commencé à dégénérer bien avant la disparition d'Ali. Au début, quand elles s'occupaient du stand caritatif de l'Externat, tout était merveilleux. Mais après l'affaire Jenna, l'atmosphère était devenue franchement tendue. Chacune des filles mourait de peur qu'on puisse remonter jusqu'à elle. Hanna se souvenait qu'à l'époque, elle sursautait chaque fois que le bus dans lequel elle se trouvait croisait une voiture de police roulant dans la direction opposée. L'hiver suivant, des tas de sujets avaient été bannis de leurs conversations. Quelqu'un était toujours en train de dire : « Chut ! », provoquant un silence gêné.

Le bulletin d'informations de vingt-trois heures s'acheva, et un nouvel épisode des Simpson commença. Hanna saisit son BlackBerry. Elle connaissait encore le numéro de Spencer par cœur, et il n'était sans doute pas trop tard pour appeler.

Comme elle appuyait sur la deuxième touche, la jeune fille entendit un bruit. Elle pencha la tête sur le côté, et ses boucles d'oreilles Tiffany se balancèrent doucement. Quelqu'un grattait à la porte.

Dot, qui était allongée aux pieds d'Hanna, leva la tête et grogna. La jeune fille saisit le saladier de Cheez-It posé sur ses genoux et se leva.

Était-ce... « A » ?

Les jambes flageolantes, Hanna passa dans le couloir. Elle aperçut de longues ombres noires devant la porte, et le bruit s'était amplifié.

— Oh, mon Dieu! chuchota-t-elle, le menton tremblant.

Quelqu'un essayait d'entrer chez elle !

Promenant un regard à la ronde, elle remarqua sur une console un presse-papiers en jade qui devait bien peser dix kilos. Elle s'en saisit et fit trois pas hésitants vers la porte de la cuisine.

Soudain, celle-ci s'ouvrit à la volée. Hanna fit un bond en arrière. Une femme entra en titubant. Sa jupe grise plissée, des plus élégantes, était remontée autour de sa taille. Hanna arma son bras pour lancer le presse-papiers.

Puis elle reconnut sa mère.

Mme Marin heurta la petite table du téléphone comme si elle était soûle. Derrière elle, un type essayait de l'embrasser et de défaire sa jupe en même temps. Hanna écarquilla les yeux.

C'était Darren Wilden – Mister Avril.

Alors, voilà ce que sa mère avait voulu dire par : « Je m'occupe de tout »...

Hanna sentit son estomac faire un bond. Elle devait avoir l'air complètement cinglée, en train de brandir un presse-papiers. Sa mère la fixa longuement, sans même se donner la peine de baisser sa jupe ou de repousser Wilden.

C'est pour toi que je fais ça, disaient ses yeux.

34

DRÔLE D'ENDROIT
POUR UNE RENCONTRE

Le lundi matin à huit heures et demie, au lieu d'être assise en cours de sciences nat, Emily se tenait sous le haut plafond voûté de l'abbaye de Rosewood en compagnie de ses parents. Mal à l'aise, elle tira sur sa jupe plissée Gap noire qu'elle avait retrouvée au fond de son placard et qui était désormais trop courte pour elle.

Mme DiLaurentis, qui portait une robe noire à col drapé, des escarpins et un collier de minuscules perles de culture, se dirigea vers elle et l'étreignit avec force.

— Oh, Emily, sanglota-t-elle.

— Je suis vraiment désolée, murmura la jeune fille, les yeux emplis de larmes.

Mme DiLaurentis utilisait toujours le même parfum – Coco Chanel. Cette odeur fit rejaillir des dizaines de souvenirs dans l'esprit d'Emily : les virées au centre commercial dans l'Infiniti de la mère d'Alison, les incursions dans sa salle de bains pour tester son onéreux maquillage La Prairie ou dans son gigantesque dressing pour essayer ses robes de cocktail Dior taille 34.

D'autres jeunes passaient devant elles, tentant de trouver une place sur les bancs à haut dossier en bois. Emily n'avait jamais assisté à aucune messe commémorative, elle ne savait pas trop à quoi s'attendre. L'abbaye sentait l'encens et le bois. Des lampes cylindriques toutes simples pendaient du plafond, et l'autel disparaissait sous un milliard de tulipes blanches – les fleurs préférées d'Alison. Chaque année au printemps, l'adolescente aidait sa mère à planter des bulbes dans le jardin devant leur maison.

Mme DiLaurentis finit par reculer en s'essuyant les yeux.

— Je voudrais que tu t'asseyes devant avec les autres amies d'Ali. Ça ne vous dérange pas, Kathleen ?

La mère d'Emily secoua la tête.

— Bien sûr que non.

Emily écouta le petit bruit sec des talons de Mme DiLaurentis et le frottement des semelles de ses propres mocassins tandis qu'elles descendaient la travée centrale.

Elle réalisa soudain pourquoi elle se trouvait ici. Ali était *morte*. Elle agrippa le bras de Mme DiLaurentis.

— Oh, mon Dieu !

Son champ de vision se rétrécit, puis un sifflement lui emplit les oreilles – signe qu'elle était sur le point de s'évanouir.

Mme DiLaurentis la soutint.

— Ça va aller. Viens. Assieds-toi là.

Prise de vertige, Emily se glissa sur le banc.

— Mets ta tête entre tes jambes, lui conseilla une voix familière.

Et une autre voix familière ricana :

— Dis-le un peu plus fort, histoire que tous les garçons t'entendent.

Emily leva les yeux. Aria et Hanna se tenaient près d'elle. Aria portait une robe à rayures bleues, violettes et fuchsia, une veste en velours bleu marine et des bottes de cow-boy. Emily la reconnaissait bien là : elle était du genre à mettre des vêtements colorés pour se rendre à un enterrement, histoire de célébrer la vie. Hanna, en revanche, arborait une robe noire à col en V ultracourte et des bas assortis.

— Tu peux te décaler un peu, ma chérie? demanda Mme DiLaurentis.

Emily tourna la tête vers elle. La mère d'Alison se tenait près de Spencer Hastings, vêtue d'un tailleur anthracite et de ballerines.

— Salut les filles, lança Spencer de cette voix onctueuse qui avait tant manqué à Emily.

Puis elle s'assit à côté de cette dernière.

— Comme on se retrouve, dit Aria en souriant.

Silence. Du coin de l'œil, Emily observa les trois autres. Aria tripotait la bague en argent qu'elle portait au pouce; Hanna fouillait dans son sac et Spencer, assise très droite, fixait l'autel.

— Pauvre Ali, murmura-t-elle.

Les filles restèrent silencieuses pendant un moment. Emily se creusait désespérément la cervelle pour trouver quelque chose à dire. De nouveau, ses oreilles sifflèrent.

Elle se tordit le cou pour chercher Maya dans l'assemblée, mais son regard se posa sur Ben. Le jeune homme était assis dans l'avant-dernière rangée avec le reste de l'équipe de natation. Emily leva la main pour lui faire un petit coucou. À côté de ce drame, leur altercation à la soirée des Kahn semblait bien insignifiante.

Mais au lieu de lui rendre son salut, Ben la foudroya du regard, les lèvres pincées. Puis il détourna le regard.

D'accord.

Emily se retourna, la rage au ventre. *Mon ancienne meilleure amie vient d'être retrouvée assassinée,* avait-elle envie de hurler. *Et nous sommes dans une église, pour l'amour de Dieu! La compassion et le pardon, ça te dit quelque chose?*

Puis quelque chose la frappa. Elle se fichait que Ben lui pardonne. Elle n'avait aucune envie de se remettre avec lui. Absolument aucune.

Aria lui tapota le genou.

— Ça va mieux depuis samedi matin? Quand tu es passée, tu n'étais pas encore au courant, pas vrai?

— Non, j'étais venue pour autre chose. Mais oui, ça va, mentit Emily.

— Spencer. (Hanna releva brusquement la tête.) Je t'ai vue au centre commercial il n'y a pas longtemps.

Spencer jeta un coup d'œil à Hanna.

— Hein?

— Tu… tu entrais chez Kate Spade. J'ai failli venir te dire bonjour, et puis… je ne sais pas. Mais je suis contente que tu n'aies plus besoin de faire venir ces sacs de New York.

Elle courba la nuque et rougit comme si elle en avait trop dit. Emily en fut surprise – elle n'avait pas vu Hanna faire cette tête depuis des années.

Spencer fronça les sourcils. Puis une expression à la fois triste et tendre passa sur son visage. Elle déglutit avec difficulté.

— Merci, murmura-t-elle en baissant les yeux.

Ses épaules se mirent à trembler, et elle ferma les yeux si fort que ses paupières se crispèrent.

Emily sentit sa gorge se nouer. Elle n'avait jamais vu Spencer pleurer.

Aria tendit un bras derrière Emily et posa une main réconfortante sur l'épaule de Spencer.

— Ça va aller.

— Désolée, dit Spencer en s'essuyant les yeux avec sa manche. C'est juste que...

Elle dévisagea les trois autres filles et se mit à sangloter de plus belle.

Emily l'étreignit. C'était un geste maladroit, mais à la façon dont Spencer lui pressa la main, elle comprit que cette dernière appréciait son geste.

Lorsqu'elles se rassirent, Hanna sortit une petite flasque en argent de son sac et se pencha pour la tendre à Spencer au-dessus d'Aria et d'Emily.

— Tiens, chuchota-t-elle.

Sans même sentir ni demander ce que c'était, Spencer porta la flasque à ses lèvres et but une grosse gorgée. Elle frémit mais dit :

— Merci.

Elle la tendit à Hanna, qui but très vite et la passa à Emily. Celle-ci en prit une toute petite gorgée qui lui brûla la gorge, grimaça et la fit passer à Aria. Avant de boire, cette dernière tira sur la manche de Spencer.

— Moi aussi, j'ai quelque chose qui devrait te réconforter.

Tirant sur l'encolure bateau de sa robe, elle révéla la bretelle blanche d'une brassière en tricot. Emily la reconnut aussitôt, Aria avait offert la même à toutes ses amies le Noël de leur 5e.

— Je l'ai mise en souvenir du bon vieux temps, chuchota Aria. C'est épouvantable comme elle me gratte.

Spencer partit d'un petit rire.

— Oh, mon Dieu...

— Tu es complètement folle, ajouta Hanna en grimaçant.

— Je n'ai jamais pu porter la mienne, tu te souviens? lança Emily. Ma mère la trouvait trop sexy pour le bahut!

— Ouais, gloussa Spencer. Si on peut trouver ça sexy de se gratter les nichons toute la journée!

Les filles ricanèrent.

Soudain, le téléphone portable d'Aria vibra. La jeune fille plongea la main dans son sac et regarda l'écran de son Treo. Quand elle releva les yeux, les trois autres la fixaient.

— Quoi? demanda-t-elle, surprise.

Hanna tripota la breloque de son bracelet.

— Est-ce que tu... viens de recevoir un texto?

— Oui, et alors?

— De qui?

— De ma mère, répondit lentement Aria. Pourquoi?

Les notes sourdes d'un orgue s'élevèrent et se répandirent dans l'église. Les gens continuaient à entrer. Spencer jeta un regard nerveux à Emily, dont le cœur battait la chamade.

— Pour rien, rétorqua Hanna. C'était indiscret de ma part.

Aria s'humecta les lèvres.

— Non, attends. Pourquoi m'as-tu demandé ça?

Hanna déglutit.

— Je... je pensais juste que toi aussi, il t'était peut-être arrivé des trucs bizarres.

Aria en resta bouche bée.

— Bizarres, c'est un doux euphémisme.

Emily s'enveloppa de ses bras.

— Attendez. Vous aussi? chuchota Spencer.

Hanna acquiesça.

— Des textos?

— Des e-mails, dit Spencer.

— À propos de... choses qui se sont passées quand on était en 5e? poursuivit Aria à voix basse.

— Vous êtes sérieuses ? couina Emily.

Les quatre filles échangèrent un regard. Mais avant que quiconque puisse ajouter quoi que ce soit, l'organiste attaqua une marche funèbre.

Emily se retourna. Un groupe de gens remontait lentement l'allée centrale : les parents d'Ali, son frère, ses grands-parents et d'autres membres de la famille. Deux rouquins dégingandés fermaient la marche. Emily les reconnut : c'était Sam et Russell, les cousins d'Ali. Ils rendaient visite aux DiLaurentis tous les étés. Emily ne les avait pas vus depuis des années, elle se demanda s'ils étaient toujours aussi naïfs.

La famille d'Ali au grand complet s'installa sur le banc du premier rang et attendit que la musique s'arrête. Les observant, Emily remarqua un mouvement. Un des deux rouquins acnéiques regardait dans leur direction. Elle était à peu près sûre qu'il s'agissait de Sam, le plus balourd des deux. Voyant qu'elle le fixait, il haussa un sourcil d'un air suggestif. Emily détourna très vite les yeux.

La seconde d'après, elle sentit quelqu'un lui enfoncer un doigt dans les côtes.

— Pas moi, chuchota Hanna.

Emily la dévisagea, perplexe. D'un petit signe du menton, Hanna désigna les deux cousins.

Les trois autres comprirent en même temps.

— Pas moi, reprirent-elles en chœur.

Elles se mirent à glousser. Puis Emily s'interrompit, réfléchissant à la signification de leur petit jeu. Ça ne l'avait jamais frappée jusque-là, mais c'était assez méchant en fin de compte. Quand elle regarda autour d'elle, elle vit que ses amies aussi étaient redevenues graves.

— Je suppose que c'était plus drôle dans le temps, murmura Hanna.

Emily secoua la tête. Ali ne savait pas tout. Oui, c'était

sans doute le pire jour de sa vie. Elle était absolument dévastée par ce qui était arrivé à Ali, et « A » lui flanquait une trouille terrible. Mais pour l'instant, elle se sentait bien. Le fait d'être assise au milieu de ses anciennes amies, lui donnait l'impression que quelque chose de nouveau commençait.

35

ℰT VOUS N'AVEZ PAS ENCORE TOUT VU

L'orgue reprit sa sinistre musique. Les parents d'Ali, son frère et le reste de sa famille remontèrent la travée centrale à la queue leu leu. Spencer, vaguement pompette après s'être envoyé plusieurs rasades de whisky, remarqua que ses trois amies s'étaient levées et se dirigeaient vers la sortie. Elle songea qu'elle ferait peut-être bien de les suivre.

Tous les élèves de l'Externat de Rosewood s'étaient rassemblés au fond de l'église, des joueurs de lacrosse aux obsédés de jeux vidéo, dont Ali se serait probablement moquée en 5ᵉ. Le vieux M. Yew, responsable du stand caritatif sur lequel les filles s'étaient rencontrées, se tenait dans un coin; il parlait à voix basse avec M. Kaplan, le prof d'arts plastiques. Même les anciennes coéquipières d'Ali de la *JV Team* étaient revenues de leurs facs respectives pour l'occasion. Elles s'étaient réunies près de la porte et sanglotaient.

Spencer balaya des yeux ces visages familiers, se souvenant de tous ces gens qu'elle avait l'habitude de fréquenter et qui étaient devenus des étrangers à ses yeux. Et soudain, elle aperçut un chien – un chien d'aveugle.

Oh, mon Dieu!

Spencer agrippa le bras d'Aria.

— Près de la porte, murmura-t-elle.

Aria plissa les yeux.

— Tu crois que c'est…?

— Jenna, poursuivit Hanna.

— Et Toby, ajouta Spencer.

Emily blêmit.

— Que font-ils là?

Spencer était trop abasourdie pour répondre. Toby et Jenna n'avaient pas changé – et en même temps, ils semblaient très différents. Il avait laissé pousser ses cheveux, et elle était… magnifique avec sa longue crinière noire et ses énormes lunettes de soleil Gucci.

Toby vit que Spencer les fixait. Un mélange d'amertume et de dégoût se peignit sur son visage. Spencer détourna très vite le regard.

— Je n'arrive pas à croire qu'ils soient venus, chuchota-t-elle trop bas pour que les autres l'entendent.

Le temps que les filles atteignent les portes en bois qui donnaient sur les marches de pierre à moitié effritées, Toby et Jenna avaient disparu. Spencer cligna des yeux dans la clarté éblouissante du soleil. C'était une de ces journées d'automne absolument parfaites – un ciel d'azur sans nuages, pas la moindre trace d'humidité dans l'air – qui vous donnait envie de sécher les cours, d'aller vous allonger dans un champ et d'oublier toutes vos responsabilités. Pourquoi était-ce systématiquement par une journée semblable que les tragédies se produisaient?

Quelqu'un toucha l'épaule de Spencer. Elle sursauta. C'était un flic costaud, avec des cheveux blonds et bouclés.

La jeune fille fit signe à Emily, Aria et Hanna de continuer sans elle.

— Vous êtes bien Spencer Hastings? interrogea le flic.

Elle acquiesça en silence.

— Toutes mes condoléances. Vous étiez amie avec Mlle DiLaurentis, n'est-ce pas?

— Oui. Merci.

— Il faudrait que je vous parle. (Le flic prit une carte dans sa poche et la lui tendit.) Voici mon numéro. Nous allons rouvrir l'enquête. Comme vous connaissiez bien la victime, vous pourrez peut-être nous aider. Pourrais-je passer vous voir d'ici deux jours?

— Euh... bien sûr, bredouilla Spencer. Si je peux faire quelque chose pour vous aider...

Tel un zombie, elle rattrapa les autres, qui s'étaient arrêtées sous un saule pleureur.

— Qu'est-ce qu'il te voulait? s'enquit Aria.

— Moi aussi, la police a demandé à me parler, annonça Emily, encore très pâle. Mais ce n'est pas grave, hein?

— Je suis sûre qu'ils vont nous poser les mêmes questions idiotes qu'il y a trois ans, répondit Hanna sur un ton qui se voulait rassurant.

— Vous croyez qu'ils ont fait le rapprochement avec...?, commença Aria.

Elle jeta un regard nerveux vers l'entrée de l'église – l'endroit où elles avaient aperçu Toby, Jenna et son chien.

— Non, dit très vite Emily. On ne peut plus avoir d'ennuis à cause de ça maintenant, pas vrai?

Les quatre filles se regardèrent, inquiètes.

— Bien sûr que non, lâcha enfin Hanna avec nettement moins de conviction.

Spencer regarda autour d'elle. Tous les gens qui avaient assisté au service parlaient maintenant à voix basse sur la pelouse. Elle se sentait très mal d'avoir revu Jenna et Toby. Mais c'était une coïncidence si le flic l'avait abordée juste après, essayait-elle de se raisonner.

Sortant son paquet de clopes de secours, elle en alluma une. Elle avait besoin de s'occuper les mains.

... Je raconte tout *pour l'affaire Jenna.*

Tu es aussi coupable que moi.

Mais moi, personne ne m'a vue.

Spencer recracha nerveusement la fumée de sa cigarette et balaya la foule du regard. Il n'y avait aucune preuve. Affaire classée. À moins que...

— Ça a été la pire semaine de ma vie, lança soudain Aria.

Hanna hocha la tête.

— Moi aussi.

— Tâchons de voir le verre à moitié plein, lança Emily d'une voix aiguë, à la limite de l'hystérie. Ça peut difficilement être pire.

Comme elles suivaient la procession vers le parking, Spencer s'arrêta brusquement. Ses amies l'imitèrent. Elle voulait leur dire quelque chose – mais pas à propos d'Ali, de « A », de Jenna, de Toby ou de la police. Plus que tout, elle voulait leur dire combien elles lui avaient manqué pendant toutes ces années.

Avant qu'elle puisse ouvrir la bouche, le téléphone d'Aria se mit à sonner.

— Excusez-moi une minute, murmura la jeune fille en fouillant dans son sac à la recherche de son Treo. Ça doit encore être ma mère.

Puis le Sidekick de Spencer se mit à vibrer. Et à carillonner. Et à chanter. Il ne s'agissait pas seulement de son portable, ceux d'Hanna et d'Emily se manifestaient tout aussi bruyamment. Les autres membres de la procession jetèrent des regards réprobateurs aux quatre filles. Aria approcha son Treo de sa figure pour mieux voir le bouton qui lui permettrait de couper la sonnerie. Emily se débattit avec son Nokia. Spencer arracha son Sidekick de la poche extérieure de son sac.

— J'ai un nouveau message ! s'exclama Hanna en regardant son BlackBerry.

— Moi aussi, chuchota Aria.

— Pareil, renchérit Emily.

Spencer se contenta de hocher la tête.

Chacune des quatre filles appuya sur la touche « LECTURE ».

Il y eut un moment de silence hébété.

— Oh, mon Dieu ! souffla enfin Aria.

— Ça vient de…, couina Hanna.

— Vous croyez que ça fait allusion à…?, commença Emily.

Spencer déglutit avec difficulté. En chœur, les filles lurent leurs textos à voix haute. Tous disaient la même chose :

Je suis toujours là, salopes. Et je sais tout.

— A

 VENIR...

Vous avez cru que j'étais Alison, pas vrai? Ça m'ennuie de vous décevoir, mais vous vous êtes trompés – de toute évidence, puisque Alison est morte.

Alors que moi, je suis encore bien de ce monde... Et tout près de vous. Pour une certaine bande de quatre jolies filles, le jeu ne fait que commencer. Pourquoi? Parce que j'en ai décidé ainsi.

Après tout, ceux qui font des bêtises méritent d'être punis. Et le beau monde de Rosewood a le droit de savoir qu'Aria fait des heures sup avec son prof d'anglais, vous ne trouvez pas? Sans compter le vilain secret de famille qu'elle garde depuis des années. Cette fille est une catastrophe ambulante.

Pendant que j'y suis, il faudrait vraiment informer les parents d'Emily de la raison pour laquelle leur cadette se conduit si bizarrement ces derniers temps. Bonjour, monsieur et madame Fields. Beau temps, n'est-ce pas? Au fait, votre fille aime embrasser d'autres filles.

Et puis, il y a Hanna. Pauvre Hanna, qui redégringole

vers les profondeurs de la nullité! Elle essaye de se raccrocher aux branches, mais ne vous en faites pas : je serai là pour remettre ses fesses qui n'arrêtent pas de grossir dans un jean de mère de famille délavé.

Mon Dieu, j'ai failli oublier Spencer. Elle est sacrément mal barrée. Après tout, sa famille la prend pour une croqueuse d'hommes sans scrupules. Je n'aimerais pas me trouver à sa place. Et entre nous, ça ne va pas s'arranger – loin de là. Spencer garde un sombre secret qui pourrait gâcher sa vie et celle de ses trois copines. Mais qui serait assez machiavélique pour dévoiler un secret pareil? Voyons... Essayez de deviner.

Bingo.

La vie est tellement plus amusante quand on sait tout.

Comment je fais pour savoir autant de choses? Vous aimeriez bien que je vous le dise, hein? Patience. Le moment n'est pas encore venu.

Croyez-moi, j'adorerais tout vous raconter maintenant. Mais ça ne serait pas aussi drôle, pas vrai?

En attendant... Je continue à observer.

— *A*